D0626555

Nous remercions le ministère du Patrimoine canadien,
la SODEC et le Conseil des Arts du Canada
de l'aide accordée à notre programme de publication

   Patrimoine   Canadian
                                            canadien   Heritage

  Conseil des Arts   Canada Council
                      du Canada   for the Arts

ainsi que le gouvernement du Québec
– Programme de crédit d'impôt
pour l'édition de livres
– Gestion SODEC.

Nous reconnaissons l'aide financière
du gouvernement du Canada
par l'entremise du Programme d'aide au développement
de l'industrie de l'édition (PADIÉ) pour ce projet.

Illustration de la couverture:
Louis-Martin Tremblay

Logo de la collection:
Vincent Lauzon

Maquette de la couverture:
Ariane Baril

Édition électronique:
Infographie DN

Dépôt légal: 2ᵉ trimestre 2007
Bibliothèque nationale du Canada
Bibliothèque nationale du Québec

1234567890 IML 09876

L'envers de la vie

DE LA MÊME AUTEURE
AUX ÉDITIONS PIERRE TISSEYRE

COLLECTION SÉSAME/SÉRIE GASPAR

Mes parents sont des monstres, 1997
Grand-père est un ogre, 1998
Grand-mère est une sorcière, 2000
Mes cousins sont des lutins, 2002
Mon père est un vampire, 2003
Ma tante est une fée, 2004
Mon chien est invisible, 2006

COLLECTION PAPILLON

Le temple englouti, 1990
Le moulin hanté, 1990
Le fantôme du tatami, 1990
Le retour du loup-garou, 1993
Vent de panique, 1997
Rude journée pour Robin, 2001
Robin et la vallée Perdue, 2002

COLLECTION CONQUÊTES

Enfants de la Rébellion, 1989, Prix Cécile-Rouleau de l'ACELF, 1988
Gudrid, la voyageuse, 1990
Meurtre à distance, 1993
Une voix troublante, 1996
« Le cobaye », dans le collectif de nouvelles de l'AEQJ,
    Peurs sauvages, 1998

COLLECTION SAFARI

Le secret de Snorri, le Viking, 2001

COLLECTION FAUBOURG ST-ROCK

L'envers de la vie, 1991
Le cœur à l'envers, 1992
La vie au Max, 1993
C'est permis de rêver, 1994
Les rendez-vous manqués, 1995
Des mots et des poussières, 1997
Ma prison de chair, 1999
La clef dans la porte, en collaboration, 2000.

ADULTES

Mortellement vôtre, 1995.
Œil pour œil, 1997.
Le ruban pourpre, 2003.

Susanne Julien

L'envers de la vie

Roman

ÉDITIONS
PIERRE TISSEYRE

9300, boul. Henri-Bourassa Ouest, bureau 220,
Saint-Laurent (Québec) H4S 1L5
Téléphone : 514 335-0777 – Télécopieur : 514 335-6723
Courriel : info@edtisseyre.ca

Données de catalogage avant publication (Canada)

Julien, Susanne

     L'envers de la vie : roman

     2ᵉ édition

     (Collection Faubourg St-Rock plus ; 2)
     Publié à l'origine dans la coll. : Collection Faubourg St-Roch
     plus. ©1991. Pour les jeunes de 12 ans et plus.

     ISBN 978-2-89633-031-7

     I. Titre II. Collection

PS8569.U477E59 2007   jC843'.54   C2006-942004-1
PS9569.U477E59 2007

*À tous les jeunes
qui traversent plus ou moins aisément
cette période mouvementée
qu'on nomme l'adolescence.*

1

Chagrin d'amour

Ses ongles étant trop courts pour soulever le coin de la pellicule de plastique qui recouvre l'emballage, Sonia tente de le déchirer avec ses dents. Elle crache un petit morceau de carton et bougonne:

— Si je ne me rongeais pas les ongles jusqu'au sang, ça serait plus facile... Bon, je l'ai!

Ses efforts n'ont pas été vains et elle réussit enfin à retirer un stylo à cartouche de son étui cartonné. L'objet tant convoité a une belle teinte lilas, une forme effilée et glisse doucement sous ses doigts. La jeune fille glousse de satisfaction en y insérant une cartouche d'encre. Elle effectue un premier essai sur le dos de l'emballage. Déception, l'encre n'est pas de la même couleur que le stylo, mais bleu pâle.

— Bof! Pas grave, quand j'en achèterai d'autres, je demanderai des mauves… ou des roses.

Sans plus attendre, elle ouvre le tiroir du bas de son bureau pour y prendre un cahier noir à la reliure rigide. Elle arrête subitement son geste et se lève en souplesse. À pas de loup, silencieuse, elle va coller son oreille au mur qui la sépare de la chambre de son frère. Il y a déjà un certain temps qu'il n'est pas venu la déranger à l'improviste, mais on ne sait jamais, l'envie pourrait le reprendre ce soir.

Les bruits qu'elle entend la rassurent : un livre qui se referme brusquement, un autre qui s'ouvre, un reniflement suivi d'un soupir, des pages que l'on tourne, le craquement d'une chaise qui se balance. Marco doit faire ses devoirs.

— Parfait! Parfait! chuchote-t-elle. Il ne viendra pas m'embêter.

Elle revient à sa place, dépose le cahier sur sa table de travail et le feuillette rapidement jusqu'à la première page blanche. Elle toussote un peu, s'étire les muscles des bras et du dos et fixe le mur quelques secondes avant qu'un sourire n'illumine son visage délicat. Deux fossettes bien visibles au centre de chacune de ses joues ajoutent de la malice à ses yeux coquins. Elle tient son idée, celle qui la fera rêver ce soir. Elle s'empare de sa plume et rédige avec de belles lettres rondes, droites et agréables à lire :

« En ce premier jour de l'an de grâce… »

10

Elle s'arrête, charmée par le bruit de sa nouvelle acquisition qui gratte doucement le papier ligné. L'effet est magique. Elle a l'impression de revenir à l'époque des chevaliers en armures étincelant au soleil, à l'ère des châteaux aux multiples passages secrets… Un son plus terre à terre la ramène au présent. Encore son frère qui renifle avec un manque d'élégance flagrant. Elle attend qu'il cesse pour poursuivre.

« … 1025, moi, Merline, la grande enchant… »

— Enchanteur au féminin, c'est enchanteuse… enchantrice… ou enchanteresse ? se demande-t-elle en fronçant les sourcils.

Trouvant que le premier terme rime trop avec musique pop et le second avec monitrice, elle opte pour le troisième à la résonance beaucoup plus vieillotte.

« … eresse, jure d'utiliser mes nombreux et puissants pouvoirs à combattre les forces du mal qui cherchent par tous les moyens à détruire l'harmonie de notre monde. »

Elle soulève sa main et se relit pour mieux juger son entrée en matière. Adoptant un ton théâtral, elle répète le texte à mi-voix. Un troisième reniflement, provenant de la chambre voisine, l'interrompt.

— Il m'agace, lui! grogne-t-elle entre ses dents. Quand on a le rhume, on se soigne!

Sonia chasse son frère de son esprit et replonge dans son récit. Elle imagine son héroïne, grande, mince, vêtue d'une longue robe en satin couleur de feu, brodée de fils d'or. Un ruban doré enserre son front et ses beaux cheveux noirs qui flottent librement sur ses épaules. Elle lui invente même des fossettes. Merline devient en quelque sorte un reflet amélioré de sa propre personne.

« Les périls que j'affronterai dans cette tâche seront de peu de poids dans la balance du bien que j'aurai réussi à procurer à mon bon peuple. »

Elle sent confusément que quelque chose cloche dans sa phrase. Ne sachant comment l'améliorer, elle la laisse telle quelle. Quoi que puisse en dire son professeur de français, Lucie Jetté « Aux Poubelles », l'important ce n'est pas le style, mais l'idée!

Un nouveau reniflement doublé d'un long soupir la fait sortir de ses gonds.

— Il exagère, le grand frère! Je vais lui montrer les bonnes manières.

Elle sort de sa chambre en coup de vent, va cueillir une boîte de papiers-mouchoirs dans la salle de bains et, sans plus réfléchir, entre vivement chez Marco. Celui-ci, assis à son bureau, le visage enfoui sur ses bras, sursaute. Il relève la tête, la regarde un instant, se retourne rapidement pour s'essuyer les yeux du revers de la main avant de s'écrier d'une voix brisée:

— Qui t'a donné la permission d'entrer? Qu'est-ce que tu veux?

La main encore sur la poignée de porte, Sonia fige sur place. Elle n'a jamais vu son grand frère ainsi. Son aîné, presque cinq ans de plus qu'elle, pleure en cachette! Qu'est-ce qui lui prend? Habituellement, c'est lui qui s'arrange pour la faire pleurer de rage avec ses taquineries plus terribles les unes que les autres.

— Euh! J'ai pensé que tu aurais peut-être besoin de ça, bafouille-t-elle en lui tendant la boîte de papiers-mouchoirs.

Il l'agrippe, marmonne un vague remerciement et chasse sa sœur d'un mouvement sec et sans réplique. Sonia n'hésite pas longtemps et bat en retraite. De toute façon, elle ne sait quoi dire. Derrière la porte, elle écoute son frère qui se mouche bruyamment. Elle finit par hausser les épaules. Il a sûrement une peine d'amour. En retournant à sa chambre, elle s'étonne, songeuse:

— Pas possible! Les gars aussi pleurent d'amour!

Elle reprend sa plume et met de l'ordre dans ses idées avant d'écrire:

«Un messager m'a apporté de bien tristes nouvelles du vieux roi Arthur II. Son fils bien-aimé, l'aimable Jehan, a été envoûté par une vilaine sorcière, Rasta-bouffe La Borgne. De son œil unique, elle a réussi à plonger le prince dans un monde imaginaire hanté de griffons, de dragons et d'autres monstres malins. »

Sonia lève les yeux et tend l'oreille. Marco pleure encore, elle en est persuadée. Utilisant un juron digne de son récit, elle murmure :

— Peste de l'enfer ! Il ne va tout de même pas faire une dépression pour une fille. Il devrait plutôt se secouer et en trouver une autre. À La Passerelle, il en pleut. Je me demande bien pour laquelle il soupire ainsi !

Elle est déçue de ne pas s'être aperçue plus tôt que son frère a eu un coup de foudre. Elle aurait pourtant dû s'en rendre compte, car ils vont ensemble à la polyvalente La Passerelle. Ils ne marchent peut-être pas côte à côte pour s'y rendre, mais ils ne sont jamais bien loin.

Il est vrai que, depuis quelque temps, Marco disparaît vite après la classe. Cela fait bien trois ou quatre semaines qu'il ne l'a plus agacée sur le chemin du retour. Et pour cause, il ne revient pas à la maison directement. Il arrive toujours juste à temps pour le souper, quelques minutes avant que sa mère ne rentre du travail. Où peut-il aller ? À qui donne-t-il rendez-vous ? Qui est donc la jouvencelle qui lui fait battre de l'aile ? Emballée par l'idée d'un mystère planant autour de son frère, elle s'écrie joyeusement :

— Morbleu ! Je découvrirai la coquine qui ose meurtrir d'abominable façon mon frère charmant !

Elle plaque une main sur sa bouche pour étouffer son rire. La pensée de jouer à l'espionne l'amuse et stimule sa créativité. Stylo à la main, elle remplit deux pages entières des fabuleuses aventures de Merline l'enchanteresse aux prises avec les terribles maléfices de Rastabouffe. Les charmes et les sortilèges se bousculent dans sa tête et sur le papier.

2
Chagrin d'amitié

Assise à son pupitre, Sonia contemple une esquisse de Merline. C'est sa grande amie, Caroline, qui l'a tracée après avoir écouté l'histoire de l'enchanteresse. Entre les deux jeunes filles existe une entente vieille de quelques années. Sonia invente un conte et Caroline l'illustre en y ajoutant sa touche personnelle.

Elles se disent tout. Enfin presque tout, car, aujourd'hui, Sonia a choisi de lui cacher la peine de son frère. C'est un sujet délicat. En effet, ce n'est pas son secret, mais celui de Marco. Si elle le dévoile à Caroline et qu'il s'en aperçoive, il lui dévissera la tête, c'est certain! De plus, elle préfère s'occuper seule de cette affaire. Le côté mystérieux de la chose ne lui déplaît pas. Et Merline n'a besoin de personne pour accomplir ses exploits.

Elle se tourne vers son amie qui est assise de biais derrière elle et chuchote:

— Il faut que j'aille à la bibliothèque, mes livres sont en retard!

La réponse se fait sur le même ton:

— Tu aurais dû y aller ce midi.

— J'ai oublié…

— Je ne peux pas t'attendre. Tu le sais.

Sonia hausse les épaules et grimace un air déçu. Elle le sait très bien que son amie ne peut l'attendre puisque, après la classe, elle s'occupe de sa petite sœur qui va à l'école primaire à deux pas de La Passerelle. Sonia sait aussi que la meilleure façon de se débarrasser de quelqu'un sans le lui dire, c'est d'utiliser un petit mensonge. Ses livres ne sont pas en retard, mais c'est une bonne excuse. Elle aura la voie libre ce soir.

Elle glisse le dessin de Caroline entre les pages d'un roman et attend avec impatience la fin du cours. Pour gagner du temps, elle a déjà sa veste roulée en boule dans son sac d'école sous sa chaise. Elle n'aura pas besoin de passer par les casiers.

Dès que le son de la cloche retentit, elle lance un bref «Salut, Caro!» et se précipite dans l'escalier qu'elle dévale à la hâte. Un étage, deux étages, sa main s'accroche à la rampe pour accélérer le rythme. Arrivée devant la porte de la bibliothèque, elle arrête sa course. Son roman à la main, elle surveille la sortie qui donne sur le stationnement. C'est toujours par là que Marco quitte la polyvalente. Est-il déjà parti? Elle s'inquiète un peu. C'est long! Qu'est-ce qu'il fait?

Le voilà! Son sac de sport sur l'épaule, il ne prête aucune attention à sa sœur qui fait semblant d'entrer dans la bibliothèque. Parfait! Il ne se doute de rien. Il se faufile dehors, Sonia fait de même. Au lieu d'aller directement dans la rue de l'Alliance qui le mènerait chez lui, il longe l'école, évite des petits amoncellements de neige que le chaud soleil du printemps n'a pas encore réussi à fondre et revient vers la grande rue, le boulevard de La Passerelle. Là, il bifurque à droite, direction des Églantiers.

«J'espère qu'il ne va pas prendre le métro, s'inquiète Sonia. Je n'ai pas d'argent.»

Sans perdre espoir, elle le suit pas à pas. Après tout, il n'y a pas que le métro dans cette rue, Marco a peut-être rendez-vous dans un magasin ou un restaurant. Le troupeau des jeunes élèves se fait moins dense sur le trottoir. L'adolescente tente de garder une distance raisonnable et prudente entre elle et son frère.

De loin, elle s'amuse à l'examiner: de courts cheveux brun foncé, presque noirs, plutôt grand, de longues jambes maigres, enfin plus si maigres que cela. Si auparavant elle pouvait le surnommer «la Grande Échalote», elle doit bien avouer que, depuis un an, il a changé. Il est plus large des épaules, des bras et des cuisses. Elle se rappelle l'autre jour, quand il est sorti de la salle de bains habillé seulement de son caleçon, à quel point elle a été surprise. Il ne ressemble plus à l'adolescent maigrichon avec qui elle se baignait l'été dernier à la piscine.

«Maman a raison. Il est devenu un vieux. L'an prochain, il ira au cégep, songe-t-elle en l'observant. Il paraît qu'il est bâti comme papa. Il n'était pas mal, papa.»

Sonia se plaque brusquement contre la porte d'un magasin, une fruiterie. Elle a vu Marco se retourner et regarder derrière lui. Soupçonne-t-il quelque chose? Ses yeux noirs et tristes scrutent les alentours, puis il traverse la rue. Sonia a eu chaud, mais il ne l'a pas aperçue. C'est l'essentiel. Lentement, elle s'approche du coin et se cache derrière le poteau des feux de circulation. Elle épie son frère qui remonte l'allée et entre dans l'hôpital par la porte principale.

«Qu'est-ce qu'il fait là? Il n'est pas malade! Non, je le sais! C'est sa blonde qui est malade. C'est pour cela qu'il a du chagrin.»

Son mystère résolu, elle s'apprête à partir, mais elle se ravise subitement. Elle ne sait toujours pas qui est la précieuse amie de son frère. Et il n'y a qu'un moyen de le découvrir: aller voir!

Elle traverse la rue à son tour et, d'un pas assuré, pénètre dans l'hôpital. Un homme en habit gris, assis dans l'entrée, la dévisage de haut en bas avant de lui demander:

— Où vas-tu?

Sans hésiter, elle lui montre le livre qu'elle tient encore dans sa main, et répond:

— Je cherche mon frère, pour lui remettre ça. Il l'a oublié.

— Ton frère? l'interrompt le gardien en fronçant les sourcils.

— Oui, reprend-elle très vite. Il vient tout juste de passer. Il a une veste en cuir et les cheveux foncés, grand comme ça.

— Je vois qui tu veux dire, il vient ici tous les jours.

— C'est ça. Savez-vous où je peux le trouver?

— D'habitude, il prend l'ascenseur jusqu'au troisième, ensuite…

Il a un geste vague qui indique qu'il n'en sait pas plus, mais c'est déjà bien suffisant pour Sonia qui se fie à sa bonne étoile.

— Merci, s'écrie-t-elle en s'élançant vers l'escalier.

Il lui semble qu'il serait trop long d'attendre l'ascenseur et son besoin d'action la pousse à bouger. Elle grimpe les marches rapidement. Puis, elle glisse un œil discret sur l'étage pour s'assurer que la voie est libre. Son frère n'est pas en vue, mais elle aperçoit une infirmière qui marche vers le bout du corridor. Elle hésite un peu, puis se dit qu'elle est trop près du but pour reculer.

Elle avance à pas lents, tendant l'oreille au moindre bruit, furetant des yeux à chaque porte entrouverte. Dans certaines chambres, le seul signe de vie provient d'une télévision qui chuchote, ailleurs, du bruissement d'un corps qui bouge sous un drap. Terriblement intimidée, Sonia ose à peine respirer, elle sent que sa place n'est pas ici, qu'elle viole un lieu sacré. En réalité, c'est le secret de son frère qu'elle s'apprête à profaner, mais c'est plus fort qu'elle, il faut qu'elle aille jusqu'au bout.

Elle reconnaît enfin sa voix. Il est dans la chambre suivante. La porte n'est pas tout à fait fermée, mais elle ne peut voir à l'intérieur. Elle s'approche pour mieux entendre. Elle est surprise de constater que l'autre voix n'est pas celle d'une fille. Elle l'a déjà entendue, mais où? C'est un jeune homme, mais qui? Pourquoi son frère vient-il lui rendre visite en cachette?

Elle recule brusquement, car la porte bouge un peu. De l'autre côté, Marco annonce qu'il reviendra bientôt. Sa visite est déjà terminée? Sans attendre, Sonia s'engouffre derrière la porte suivante qu'elle referme vivement. L'oreille collée dessus, elle écoute. Un léger toussotement lui fait réaliser qu'elle n'est pas seule. La chambre où elle est entrée contient deux lits. L'un est vide et, sur l'autre, un homme assez âgé est assis en pyjama et robe de chambre.

Avant l'intrusion de Sonia, il lisait. À présent, il dépose son livre sur ses genoux, ôte ses lunettes et en suce distraitement une des pattes. D'un œil amusé, il interroge silencieusement la jeune fille. Elle met un doigt sur la bouche pour le supplier de se taire. Il sourit davantage et ne dit mot. Sonia répond d'un sourire malicieux. Il ne la vendra pas.

Dans le couloir, les pas de Marco s'estompent. La porte de l'ascenseur se referme. Il est parti. Sonia vérifie en passant sa tête en dehors de la chambre. Personne. Maintenant, elle doit une explication à son hôte.

Elle se retourne vers lui, mal à l'aise. C'est lui qui l'aborde le premier.

— Votre poursuivant s'est envolé, jeune demoiselle?

Il a un ton enjoué et ses yeux bleus pétillent de malice. Sonia entre dans le jeu.

— Sans votre aimable coopération, j'étais fichue. Il m'aurait vue.

— Nous sommes donc devenus des complices, mais j'ignore encore de quoi. J'espère que, le danger écarté, vous voudrez bien me mettre au courant des périls que j'ai involontairement affrontés?

Le vieil homme lui semble franchement sympathique. Il ne lui fait pas la morale comme la plupart des grandes personnes. Non, à la fois curieux et amusé, il s'informe galamment de ce qui est arrivé. Mise en confiance par son attitude, Sonia lui explique:

— C'est mon frère, il a l'air tellement bizarre ces derniers temps, que j'ai voulu savoir pourquoi. Alors je l'ai suivi jusqu'ici.

— Pourvu que votre frère n'ait pas plus de douze ans et qu'il ne soit pas plus haut que trois pommes, je crois être en mesure de vous défendre.

— Oh! Il est beaucoup plus grand et plus vieux que ça, s'exclame-t-elle en riant, mais aucun problème, il n'est pas violent.

— Vraiment? Même le plus doux des hommes peut se changer en tigre si on touche à ce qu'il a de plus précieux. Et un secret peut valoir de l'or!

— Peut-être, mais je ne vois pas le rapport.

— Alors oublions ce que je viens de dire. Ce ne sont que des paroles de vieux monsieur qui radote. Je vous souhaite de la réussite dans votre entreprise. Je ne vous retiens pas. Vous devez avoir hâte de mener à bien votre petite enquête. Et moi, je dois prendre un peu de repos.

Il lui signifie clairement, mais poliment, que l'entretien est terminé. Sonia ouvre la porte. Elle ressent pourtant le besoin de se justifier avant de partir.

— Vous savez, je l'aime bien, mon frère. Ça me fait tout drôle en dedans quand je le vois pleurer. C'est pour cette raison que je veux savoir ce qui le rend malheureux. Au revoir.

Elle referme derrière elle et marche jusqu'à l'autre chambre. La porte est grande ouverte. Du couloir, elle aperçoit un seul lit et deux jambes allongées. L'inconnu, la cause des malheurs de Marco, est là, à quelques pas d'elle. Son cœur bat fort. Si elle veut savoir, il faut pourtant qu'elle entre. Que va-t-elle dire?

Lentement, elle avance vers le lit et découvre peu à peu un adolescent maigre, pâle, immobile. Il la fixe de ses yeux fiévreux, inquiets. Est-ce un éclair de colère qu'elle y entrevoit? Soudain, il sourit méchamment, retrousse les babines et s'écrie:

— Sonia, le p'tit singe!

Elle ouvre la bouche, étonnée, puis le reconnaît. C'est Antoine, le grand copain de son frère. Celui qui est allé vivre avec sa mère à Toronto, il y a deux ans, et dont on n'avait plus de nouvelles.

— Ferme la bouche, tu vas avaler des mouches, lui lance-t-il d'un ton sec.

— Qu'est-ce que tu fais ici? réussit-elle enfin à prononcer. Je te croyais avec ta mère!

L'air peu engageant, Antoine réplique:

— La vieille m'a *shippé* chez le paternel. Et puis, ce n'est pas de tes *business*.

Quand on l'agresse verbalement, Sonia, par réflexe, adopte un ton hautain et moqueur:

— Hum! Félicitations! Ton petit séjour chez les Anglais t'a permis d'approfondir leur belle langue, celle des affaires, même si ce n'est pas des miennes. Malheureusement, ça n'a pas amélioré ton caractère.

Antoine se glisse sur le bord de son lit et se penche vers elle pour lui dire:

— Je ne t'ai pas demandé l'heure! Je ne t'ai pas appelée! Laisse-moi donc tranquille, sale ouistiti. Quand je voudrai des nouvelles sur le monde des guenons, j'irai te voir. Mais en attendant, *scramme*! Déménage!

L'effort qu'il fournit pour insulter la jeune fille provoque chez lui une quinte de toux qu'il ne peut contrôler. Il se cache le visage dans son drap. Tout son corps est secoué brutalement. Sonia le regarde les yeux ronds d'inquiétude, ne

25

sachant trop quoi faire pour lui venir en aide. Il parvient finalement à reprendre le dessus et respire presque normalement. Il se recouche et tourne le dos à Sonia en lui marmonnant de nouveau de le laisser tranquille.

Plus impressionnée par la maladie que par les paroles d'Antoine, elle quitte la chambre sans un mot. Le chemin du retour s'effectue à un rythme de tortue. Elle est toute chavirée par ce qu'elle a vu. Antoine, le grand Antoine! C'est ainsi qu'elle l'appelait toute petite. Il y a tellement longtemps qu'elle le connaît. Ça date de l'époque où les parents d'Antoine se sont séparés.

Elle avait environ quatre ans et son propre père était mort depuis peu, dans un accident de voiture dont elle n'a aucun souvenir. Son père s'est effacé de sa vie et le grand Antoine y est apparu. Pour gagner un peu plus d'argent, sa mère gardait des enfants, dont Antoine, le midi et le soir après la classe. Pour une fillette de quatre ans, un grand gamin de neuf, c'est impression- nant. Et il était si drôle! Il riait tout le temps, de tout, même d'elle. Dans ce temps-là quand il disait p'tit singe, c'était amusant. Mais aujour- d'hui…

Après, quand sa mère avait cessé de garder des enfants pour travailler à temps plein à la pharmacie, elle avait continué à s'occuper d'Antoine. Elle l'aimait bien et puis, il lui faisait pitié seul avec son père, sa mère étant partie travailler en Ontario. Alors Antoine était devenu un deuxième grand frère. Non, il était mieux qu'un grand frère, car il ne lui criait jamais après. Tandis qu'aujourd'hui…

Qu'est-ce qu'il lui a pris de la traiter ainsi? Il n'en a pas le droit! Que lui est-il arrivé durant ces deux années, au loin, avec sa mère? Il a changé, terriblement changé. Où est donc passé Antoine, si gentil, si joyeux? Est-ce pour cela que Marco pleure? Parce qu'Antoine n'est plus le même?

Elle se secoue et décide que ce n'est pas son problème. Tant pis pour lui! Elle a autre chose à faire. Mission accomplie, Merline. Tu as découvert la source des malheurs de ton frère. Pour le reste… La tête haute, elle rentre chez elle, au 2510 de la Montée-à-Rebours.

$$C$$

Assise directement sur le sol, les yeux rivés sur l'écran, la manette entre les mains, Sonia promène son héros médiéval dans les dédales remplis d'embûches du jeu vidéo. Elle entend la porte d'entrée qui claque, mais n'y prête aucune attention. Les pas qui s'approchent vivement d'elle ne la dérangent pas. La seule chose qui la fait réagir, c'est quand Marco éteint la télévision.

— Hé! J'allais l'avoir! Pourquoi as-tu fait ça?

— Et toi? Pourquoi m'as-tu suivi jusqu'à l'hôpital? réplique-t-il en se plantant devant elle. J'étais sorti de sa chambre juste pour quelques minutes, le temps de lui acheter une revue.

Antoine m'a tout raconté quand je suis revenu. Il s'imaginait que c'était moi qui t'avais amenée là.

Marco est en colère, une colère noire. Il s'avance, l'œil méchant. En se poussant avec les talons, Sonia glisse sur ses fesses et recule ainsi jusqu'au mur où il la coince. D'un geste brusque, il se baisse, l'immobilisant ainsi entre ses genoux, puis il place ses mains sur les épaules de Sonia et approche son visage à quelques centimètres du sien. Il répète :

— Pourquoi?

Elle ne l'a jamais vu aussi fâché. La peur l'empêche de répondre. Les doigts de Marco lui entrent dans la peau et la blessent. Elle gémit un peu. Réalisant qu'il exerce trop de pression, il lui lâche les bras pour s'appuyer au mur.

— Pas peur! Je ne te battrai pas, même si tu le mérites. Réalises-tu tout le tort que tu as fait à Antoine, cette après-midi?

— Je n'ai jamais voulu lui faire de mal, réussit enfin à dire Sonia. J'essayais seulement de savoir…

— Ce n'est pas de tes oignons. Antoine, c'est mon ami, et toi…

— Et moi, je ne suis rien peut-être? Ce n'est pas juste, ce que tu dis là. Ça fait aussi longtemps que toi que je le connais, et il jouait avec moi quand j'étais petite.

— Justement, tu es encore petite et lui, il a grandi!

— Petite! s'exclame-t-elle insultée. J'ai douze ans et cinq sixièmes, tu sauras.

Marco sourit tristement et se recule pour s'asseoir devant sa sœur. Sa voix se fait plus douce, mélancolique, pleine d'amertume.

— Cinq sixièmes! Tu as encore beaucoup de chemin à faire avant de comprendre.

— Je ne suis pas aussi nouille que tu le penses, Marco Pelletier. Qu'est-ce qu'il y a de si difficile à comprendre?

— La vie! La vie qui te joue des sales tours de cochon quand tu t'y attends le moins.

Il se tait, soupire et évite le regard de Sonia. Elle n'est pourtant pas satisfaite de ce semblant d'explication. Elle le relance:

— Continue!

Les yeux sombres reviennent sur elle et la détaillent. Il hoche la tête et dit enfin:

— Non, Sonia! Il vaut mieux que tu oublies tout ce que tu as vu aujourd'hui. Oublie l'Antoine de l'hôpital! Si tu penses à lui, rappelle-toi seulement celui d'avant, parce que maintenant… Tu ne le reverras probablement jamais. Et ce sera mieux ainsi.

— Et toi? Tu lui rends bien visite tous les soirs?

— Il faut bien que quelqu'un le soutienne un peu. Pour le temps qu'il lui reste, ajoute-t-il pour lui-même à voix basse.

Sonia a de bonnes oreilles et sa curiosité est piquée. Elle voudrait en savoir davantage, mais sa mère rentre à l'instant de son travail. Marco se hâte de glisser à sa sœur:

— Pas un mot à maman, sinon…

Ce n'est pas la menace qui fera taire la jeune fille, mais l'attrait du mystère. Elle se promet bien de ne pas laisser les choses ainsi et de tirer cela au clair.

3
À la recherche de Merline

Debout au centre de l'estrade de l'amphithéâtre, Sonia déclame pour un auditoire attentif, enthousiaste, mais restreint. Il n'y a que Caroline assise au premier rang. Les deux jeunes filles profitent d'une distraction de leur professeur de morale, Gaétan Lacombe, «Gaga» pour les intimes, c'est-à-dire les élèves. Radoteur infatigable et étourdi incontrôlable, il est souvent la proie des blagues des jeunes, qui l'aiment bien, pourtant.

Caro et Sonia ont réalisé qu'il ne ferme jamais à clé la grande salle après le dernier cours de l'avant-midi. Elles peuvent donc disposer à leur aise du local durant tout le dîner. Et elles ne se gênent pas.

— Oh! Arthur! Me voici enfin de retour après un long périple au sombre et ténébreux Royaume des Ombres où règne la terrible Rastabouffe. Grâce à moi, votre fils Jehan a été délivré des chaînes invisibles qui l'empêchaient de vivre au gré de sa volonté.

« Je l'ai découvert dans l'antre de votre ennemi. Il gisait inconscient dans une immense salle sous un drap noir brodé de serpents. Un amas de squelettes formait un autel auprès duquel s'entassaient des piles de livres. L'infortuné prince, qu'un long jeûne avait affamé, n'avait, pour apaiser sa faim, que des boissons qui épuisaient sa volonté. Des amulettes étaient attachées à son cou et des signes étranges étaient tracés sur son visage. Des ombres malicieuses glissaient sans bruit autour de lui. Heureusement, les forces du bien ont vaincu et Jehan est de nouveau en sécurité dans votre demeure. »

Jouant tous les rôles, Sonia courbe le dos et transforme sa voix pour devenir le vieux roi Arthur II.

— Toute ma gratitude vous est acquise. La joie que vous me procurez est immense. Je vous serai éternellement reconnaissant pour votre aide. Chère Merline, veuillez m'accorder une faveur supplémentaire : contez-moi plus en détail cette aventure.

— Oui, oui ! l'interrompt Caroline. Je veux savoir comment l'enchanteresse est venue à bout des monstres dans la Forêt des Carcajous et des fantômes du Château Maléfique !

Sonia éclate de rire et répond :

— C'est simple ! Avec une épée magique, voyons !

— Bien, voyons ! J'aurais dû y penser, s'écrie Caroline en riant elle aussi. C'est pratique, la magie !

Sonia approuve d'un mouvement de tête, se dirige vers un sac brun qui traîne au bord de la scène et en retire un gros sandwich au jambon. Elle avale quelques bouchées avant de dire d'une voix rêveuse :

— Dommage que ça n'existe pas vraiment, la magie ! Ce serait prodigieux tout ce qu'on parviendrait à faire.

— Transformer tous les professeurs en statues de sel, suggère Caroline.

— Oh ! Non ! Chaque prof doit garder son caractère propre, même si on le métamorphose. Par exemple, Lucie Jetté deviendrait une corbeille à papier de la bibliothèque.

— De préférence, celle qui est à côté de la photocopieuse, elle est toujours pleine.

— Oui ! pouffe Sonia, et Gaga serait... le pendule du professeur Tournesol. À l'ouest ! À l'ouest ! ajoute-t-elle en criant.

— Pas si fort ! On va nous entendre.

— Mais non ! Tu sais bien qu'il n'y a jamais personne à cette heure-ci.

Elles mangent silencieusement pendant quelques instants, puis Caroline soupire :

— Ça me désole un peu que ton prince Jehan n'ait pas un rôle plus important dans ton histoire.

— Pourquoi aurait-il une meilleure place? s'exclame Sonia, mi-surprise, mi-offusquée. C'est Merline le personnage principal et elle n'a besoin de personne pour l'aider à triompher des vilains.

— Je sais bien, mais, entre elle et Jehan, il aurait pu y avoir une histoire d'amour.

— Ouach! Merline tomber amoureuse d'un minus pareil. Jamais de la vie! Et puis, les romans à l'eau de rose, ça ne m'intéresse pas. C'est ennuyant.

— Pas tout le temps. C'est parfois très… très… je ne sais pas moi. Très…

— Ennuyant, intervient Sonia avec un clin d'œil.

Caroline lui lance sa boîte de raisins secs.

— C'est tout ce que tu mérites. Tant pis, tu ne verras pas mes autres dessins.

Sonia tombe à genoux et, les mains jointes, supplie son amie:

— Pitié, noble et gente dame. N'ayez pas le cœur aussi dur pour une pauvresse. Pardonnez-lui, car elle ne sait ce qu'elle dit. De grâce…

Son amie ne peut résister à une telle comédie, et, de toute façon, elle brûle trop d'envie de lui montrer ses petits chefs-d'œuvre pour la faire languir. Elle ouvre donc une chemise à pochettes et y prend trois feuilles. L'une d'elles représente un château médiéval.

— Wow! Génial! Il a l'air vrai, avec des tours et un pont-levis!

— J'ai pris le modèle dans une vieille ency-clopédie de mon père.

— Calqué?

— Non, l'image était grande comme un dix cents. Le deuxième dessin, c'est la forêt de la méchante Rastabouffe. Je devrais peut-être y mettre un peu plus d'ombre, tu ne crois pas?

— C'est superbe! Si seulement j'avais le quart de ton talent! Comment fais-tu?

— Je ne sais pas. Ça vient tout seul. Je regarde quelque chose ou je ferme les yeux et l'image s'impose d'elle-même. C'est comme toi quand tu inventes une histoire et que tu la joues, ça ne te force pas. Regarde le dernier croquis, c'est le meilleur.

Sonia s'empare du troisième dessin. Elle y voit Merline, grandiose, au bras d'un jeune homme aux traits réguliers, à l'allure d'un prince.

— Jehan et Merline! Ce n'est peut-être pas une si mauvaise idée.

— C'est une excellente idée! Deux êtres aussi magnifiques sont faits pour s'unir un jour.

— Magnifiques! Merline, d'accord, mais Jehan… il est moche et sans caractère. Sans intérêt, quoi! Tandis que mon enchanteresse est parfaite: en beauté, en courage, en ingéniosité. Tiens, tu lui as fait les yeux verts.

— Je n'avais pas eu le temps de mettre de la couleur sur le croquis d'hier. Passe-le-moi, je vais l'arranger.

Sonia hésite un peu avant de bafouiller une excuse:

— Je… je pense que je l'ai oublié à la maison.

— Comment as-tu pu l'oublier? Je me demande où tu as la tête ces derniers temps.

— Dans la Forêt des Carcajous, répond vivement Sonia. Je l'apporterai demain et je te le remettrai au cours d'écologie. As-tu étudié pour l'examen?

La réponse est négative et brève, mais les commentaires sur le professeur et le cours sont longs et chargés d'émotion. Sonia a réussi à changer le sujet de conversation sans que cela y paraisse. Comment aurait-elle pu dire à son amie que le dessin de Merline n'est pas oublié mais perdu à l'hôpital? Elle en est certaine, il n'y a que là qu'elle a pu l'échapper sans s'en rendre compte. Maintenant qu'elle a promis de le rapporter pour le lendemain, elle n'a pas le choix. Elle doit le récupérer aujourd'hui.

Cette visite à Antoine ne lui plaît guère. L'accueil risque d'être aussi dur qu'hier. Et comment réagira Marco? Il ne voudra jamais la laisser entrer dans la chambre du malade. Il faut pourtant qu'elle y aille.

— Mademoiselle la Lune, je vous parle, chantonne Caroline.

— Euh! Quoi? Qu'est-ce que tu disais?

— Rien du tout, soupire son amie. Allez, viens, il ne reste que cinq minutes avant le début du cours.

À la hâte, elles ramassent leurs affaires et quittent prudemment leur cachette.

Une fois n'est pas coutume. Sécher la classe est une première pour elle. Sonia a eu beau chercher une autre solution, elle n'a rien trouvé de mieux. Profitant de la cohue qui règne habituellement entre deux cours, elle se hâte vers la sortie. Une dernière hésitation avant de pousser la lourde porte métallique... non, personne ne fait attention à elle.

Tout excitée par sa propre audace, Sonia traverse allègrement les quelques mètres qui la séparent du trottoir. Arrivée au coin de la rue, elle éclaterait de rire tellement ç'a été facile. C'est à cet instant précis qu'une voix la fait sursauter.

— Salut, Sonia! C'est une super après-midi pour déserter l'école!

«Oh, non! soupire intérieurement la jeune fille, pas Super-sans-tête! Il va encore me coller après.»

— Salut, Ben, dit-elle sans entrain.

Elle allonge le pas pour le distancer, mais il accélère et ajuste son rythme au sien. Puis, il entame la discussion sans réaliser à quel point il embête Sonia. Il est incapable de dire plus de trois phrases sans utiliser son expression favorite: super. Son bavardage tombe sur les nerfs de la jeune fille. Elle lui répond à peine, s'imaginant ainsi pouvoir se débarrasser de lui.

— Quel prof as-tu laissé tomber? Gaga? Toussaint? Super plat, lui! Il fait chaud, trop chaud pour rester en prison. As-tu vu la moto de Gingras? Super! Le moteur est super chromé, avec des pneus à crampons...

Aux yeux de Sonia, Ben Super-sans-tête est une vraie caricature. Elle se mord les lèvres pour ne pas rire de lui. Au fond, il n'est pas méchant, seulement agaçant. Mais comment faire pour le repousser sans le vexer?

— Viens, lui offre l'adolescent, je te paie un coke et des frites. Elles sont super, ici.

D'un geste de la main, il lui montre la vitrine d'un petit casse-croûte. Sonia y lance un coup d'œil. Une femme à la peau couleur chocolat au lait, ses cheveux noirs et frisés emprisonnés dans un filet, s'agite derrière un comptoir. C'est madame Paul, qui est à la fois cuisinière, serveuse et plongeuse. Sonia doit trouver une bonne excuse pour refuser cette offre.

— Je... je ne peux pas. J'ai un rendez-vous chez le médecin, explique-t-elle soudainement.

— Tu es malade! Rien de terrible, au moins? s'informe Ben sur un ton inquiet.

— Non, non, c'est seulement un examen de routine. Je n'ai rien, se hâte-t-elle de dire.

— Ah! C'est super, que tu n'aies rien. Bon, dans ce cas, salut. Passe une bonne après-midi! ajoute-t-il avant de s'engouffrer dans le restaurant.

Enfin seule, Sonia presse le pas vers l'hôpital. Un bref regard à sa montre lui indique que l'importun lui a fait perdre une quinzaine de minutes. Elle traverse la rue en courant et se précipite sur la porte d'entrée. Le grand hall est vide. Le gardien n'est pas sur sa chaise. Sonia se dit qu'il est peut-être à sa pause-café. C'est tant mieux pour elle, car nul besoin d'expliquer pourquoi elle est là, où elle va, etc.

Elle reprend le même chemin que la veille jusqu'à la chambre d'Antoine. Avant d'entrer, elle fait une pause pour se préparer mentalement. Puis, la tête haute, d'un pas décidé, elle s'approche du lit. Antoine est allongé sous ses draps. Les yeux fermés, il semble dormir.

Sonia est décontenancée. Elle croyait se retrouver face à un jeune homme agressif, prêt à lui sauter dessus pour la faire sortir. Mais devant elle, il n'y a qu'un grand adolescent malade, faible et sans défense dans son sommeil. C'est peut-être mieux ainsi. Elle n'a qu'à reprendre son dessin sans le déranger. Oui, mais où se trouve ce fameux dessin? Une jeune fille bien élevée ne fouille pas dans les affaires des autres. Non, elle ne peut pas faire ça.

Antoine tousse un peu et bouge légèrement dans son lit. Sentant une présence auprès de lui, il dit sans ouvrir les yeux:

— Est-ce que je peux avoir de l'eau? Mon pot est vide.

«Il me prend pour l'infirmière», pense Sonia.

Elle se garde bien de le détromper et va remplir le pichet dans la salle de bains. En revenant, elle lui sert un verre. Il se tourne vers elle en tendant la main. La surprise l'arrête un bref instant dans cette position, mais sa soif est trop grande. Il accepte l'eau de la jeune fille et l'avale goulûment.

— Merci, murmure-t-il en tentant de s'asseoir.

Avec des gestes maladroits, il cherche à remonter les oreillers derrière lui. Voyant que cela lui est pénible, Sonia vient à sa rescousse et l'aide à s'installer plus confortablement. Elle tourne la manivelle au pied du lit pour le redresser et replace les deux oreillers sous le dos et la tête d'Antoine. Pendant tout ce temps, cinq minutes environ, ni l'un ni l'autre n'ont parlé. Ils ont même évité de se regarder. Mais maintenant qu'ils ont cessé de bouger, ils sentent bien qu'ils doivent se dire quelque chose.

Sonia lève bravement les yeux et commence :

— Je suis désolée de t'avoir réveillé.

— Ce n'est pas grave, je ne dors jamais très longtemps.

Sa voix est douce, un peu triste. Ce ton, totalement différent d'hier, encourage la jeune fille à poursuivre.

— C'est parce que, vois-tu, quand je suis venue ici hier, j'ai p…

— Hier, je n'ai pas été correct. Je le sais. Quand quelqu'un se donne la peine de te rendre visite dans un endroit aussi moche qu'un hôpital, tu n'as pas le droit de le chasser. Je m'excuse.

La jeune fille est abasourdie. Elle qui s'imaginait devoir baisser la tête sous une pluie de reproches et d'injures, voilà que c'est lui qui s'abaisse et désire se faire pardonner. Au fond, il n'a peut-être pas changé, son Antoine ? D'un regard attentif, elle le dévisage. Sa figure a une forme plus allongée que lorsqu'il est parti, il y a

40

deux ans. Les cernes sous ses yeux bruns lui donnent une allure de chien battu. Il est pâle et frissonne un peu. Il a probablement de la fièvre, sa main était si chaude quand il lui a effleuré les doigts en prenant le verre d'eau.

Sonia oublie pour l'instant la raison de sa visite. Elle s'inquiète de son ami. De quoi peut-il bien souffrir pour être aussi abattu? Elle n'a pas besoin de poser sa question pour qu'il la comprenne.

— Tu te demandes ce que je fais ici, hein?

Le ton d'Antoine est redevenu cinglant. Sa phrase sonne bizarrement. Il le réalise bien, mais trop tard, les paroles sont sorties de sa bouche. Il tente de se reprendre.

— J'ai seulement attrapé un petit virus, souffle-t-il d'une voix qui tremble un peu.

Il fixe obstinément ses orteils qui s'agitent sous le drap, incapable de lever les yeux sur Sonia. Dans sa gorge, il sent une boule qu'il retient en serrant les dents. Poussée par une impulsion subite, la jeune fille lui dit:

— Tu n'aimes pas ça que moi, ou n'importe qui d'autre, vienne te voir, malade?

Il secoue vivement la tête.

— Non, ce n'est pas ça le problème. C'est moins long quand quelqu'un vient passer le temps avec toi.

Un silence pénible s'établit entre eux. Puis, il éclate violemment:

— Je n'ai juste pas envie d'en parler! C'est juste ça! Pourquoi est-ce que je devrais m'imposer ce supplice-là, par-dessus le marché? C'est déjà assez dur de l'avoir, sans en plus expliquer à tout le monde comment je l'ai eu, et comment je me sens! C'est déjà assez dur comme ça.

La toux l'interrompt subitement. Bouche bée, Sonia tente de comprendre. Qu'a-t-il bien pu attraper pour réagir aussi violemment? Il la regarde et voit son ébahissement. Apparemment, elle ignore tout. Il se calme un peu et demande:

— Marco ne t'a pas raconté?

— Non.

Il sourit tristement et hoche la tête en soupirant:

— J'avais cru que tu venais ici pour voir de tes propres yeux le spectacle de la décadence, de la déchéance humaine... pour te repaître d'une telle vision... pour...

Sa voix a repris une résonance cynique. La colère a réapparu dans son regard. La rage se lit sur son visage. Sonia n'y tient plus et s'exclame:

— Antoine! Je ne comprends rien à ce que tu dis. Tout ce que je sais, c'est qu'avant, tu étais mon ami, que je t'aimais bien. Tu avais toujours un sourire ou un mot gentil pour moi, même si j'étais beaucoup plus petite que toi. Mais, depuis hier, tu me regardes comme si j'étais un chien galeux, tu me chasses comme un moucheron, tu me parles comme si tu me haïssais. Je ne comprends pas, moi. Qu'est-ce que je t'ai fait?

Elle est au bord des larmes, ses lèvres tremblent de colère devant cette injustice. Mais, c'est lui qui pleure. Une longue larme coule jusqu'à son menton. Il s'essuie avec la paume de sa main. Lentement, il replie ses jambes et y appuie ses avant-bras. Il cherche les mots pour expliquer, mais c'est si difficile. Elle attend en se mordillant le bout du pouce.

— Désolé, fait-il enfin, désolé. Je me fâche à rien de ce temps-ci. Je ne sais pas pourquoi. Et puis, oui, je le sais, mais ça ne donne rien d'en parler, puisque ça ne changera rien. Tu n'es pas si pire que ça, p'tit singe! Je t'aime bien, dans le fond.

Comment Sonia doit-elle prendre ces paroles? Quand la gentillesse et l'ironie se mêlent si étroitement, il doit bien y avoir un peu des deux. Elle choisit de n'entendre que le fond d'amitié, puisque, par le passé, il n'a toujours eu que de bons sentiments envers elle.

— Moi aussi, je t'aime bien, avoue-t-elle sans arrière-pensée. Ça me fait de la peine de te voir aussi malade. J'ai hâte que tu guérisses pour que tu reviennes chez nous comme avant.

— Oublie ça. Il n'y aura jamais plus rien comme avant.

Troublée et inquiète, elle pose enfin la question qui la harcèle depuis un bon moment:

— Mais qu'est-ce que tu peux bien avoir pour être comme ça?

— Ce que j'ai, ça ne se dit pas. C'est le genre d'affaire que la famille aime mieux garder secrète. On l'attrape, on en souffre, on en crève, mais on n'en parle pas. C'est mieux ainsi, à ce qu'il paraît!

— Ça ne m'avance pas tellement, une réponse comme ça.

— Tu veux le savoir? Tu veux vraiment le savoir? Bien… bien, tu le devineras, tiens! Tu es encore à l'âge des jeux? Alors joue aux devinettes! Ça te saute dessus quand tu te méfies le moins, c'est pire que la peste et c'est un mot de quatre lettres. Il y en a justement trois qui se retrouvent dans ton nom. Là-dessus, salut! Je suis fatigué, j'ai besoin de me reposer.

Il se tait et lui tourne le dos. Elle comprend bien qu'il en a assez d'elle. Alors, elle le salue et, songeuse, quitte la chambre. Juste avant de s'engager dans l'escalier, elle se rappelle la raison de sa visite: le croquis de Merline. Tant qu'à être ici, aussi bien aller le chercher. Elle revient sur ses pas. En passant devant la chambre voisine de celle d'Antoine, elle entend une voix qui l'appelle.

— Mademoiselle, psitt, mademoiselle…

C'est le vieux monsieur de la veille. Il est encore allongé sur son lit, un journal plié près de lui. D'un geste de la main, il l'invite à entrer.

— Bonjour, chère demoiselle, je vois que vous êtes moins pressée qu'à votre dernière visite. Il n'y a plus personne qui cherche à vous martyriser?

— Mon grand frère n'est pas si méchant que ça, répond-elle en souriant. Vous voyez: il m'a découverte et je suis encore en un seul morceau!

— Il aurait vraiment été dommage qu'il en soit autrement, mademoiselle…?

— Euh… Sonia, se présente-t-elle brusquement.

— Marcel.

Galamment, il l'invite à prendre un siège. La jeune fille, peu habituée à tant de courtoisie, est légèrement intimidée, mais le sourire amical de l'homme lui rend bien vite sa spontanéité.

— Si je me suis permis de vous interpeller, mademoiselle Sonia, c'est que j'ai beaucoup pensé à vous depuis hier.

— Vraiment? fait-elle, intriguée.

— Oh! Ne vous méprenez pas sur mes intentions. C'est votre talent hors du commun qui m'a émerveillé.

— Mon talent? s'étonne Sonia qui comprend de moins en moins.

Monsieur Marcel sourit davantage et se penche vers la table de chevet. Il retire une feuille de sous un livre et la tend à Sonia qui la reconnaît aussitôt.

— Merline! C'est ici que je l'ai perdue.

— Je ne l'ai réalisé que bien après notre départ. Vous savez, je ne bouge pas beaucoup à cause de mon état, mais je m'impose au moins une promenade par jour, avant le souper. C'est à ce moment-là que j'ai vu ce magnifique croquis par terre près de ma porte. Et comme vous avez été ma seule visiteuse, j'en ai déduit que cela vous appartenait. Je vois que je ne m'étais pas trompé.

— Oui, c'est ma Merline, mais ce n'est pas moi qui l'ai dessinée. Je ne suis pas assez douée pour ça. C'est Caroline, mon amie, qui a du talent. Je me contente d'inventer les personnages et elle, elle les illustre.

— Vous inventez des personnages! s'exclame le vieil homme, admiratif. Voilà qui est fantastique. Pour cela, il faut que vous ayez beaucoup d'imagination. C'est un talent aussi précieux que celui de votre amie.

Gênée par le compliment qui, au fond, lui fait bien plaisir, Sonia bafouille:

— Je... je ne sais pas si c'est aussi précieux, mais je trouve que ça m'amuse d'inventer des histoires. Je dirais même que c'est plus fort que moi. C'est comme si j'étais incapable de m'en empêcher. J'ai toujours plein d'idées dans ma tête!

— Et cette Merline est une de vos idées?

— Oui.

— Je me considérerais comme très honoré, si un jour vous vouliez bien me conter une de vos histoires.

— Vous raconter une de mes idées? s'écrie Sonia. Je ne sais pas. Je veux dire, peut-être que ça ne vous intéressera pas.

— N'en croyez rien. Vous me feriez un cadeau plein de soleil et de jeunesse. C'est très réconfortant pour une personne de mon âge de conserver des liens, des attaches avec un monde dont une soixantaine d'années me séparent. J'ai ainsi l'impression d'être moins près de mon point final.

46

La jeune fille fronce les sourcils. C'est la première fois que quelqu'un lui parle de la mort de cette façon. D'ailleurs, la mort, elle n'y a jamais vraiment pensé. Elle glisse rapidement sur le sujet et, pour faire plaisir à monsieur Marcel, elle accepte.

— D'accord, je ne sais pas quand je reviendrai, mais ce jour-là, j'apporterai un de mes textes.

La porte s'ouvre au même instant et une infirmière entre, un plateau à la main.

— C'est l'heure de vos médicaments, annonce-t-elle.

Réalisant la présence d'une visiteuse, elle ajoute en souriant :

— Vous vous êtes fait une nouvelle amie. N'êtes-vous pas un peu trop vieux pour avoir une blonde de cet âge-là ?

— Le cœur n'a pas d'âge, mademoiselle Louise, répond-il sur le même ton. Permettez-moi de vous présenter : mademoiselle Sonia, une écrivaine, mademoiselle Louise, la plus dévouée des gardes.

— Enchantée, fait l'infirmière.

Sonia répond de même, puis, voyant une seringue sur le plateau, elle décide de mettre un terme à sa visite. Elle n'a jamais apprécié les piqûres.

— Au plaisir de vous revoir, mademoiselle, lui dit courtoisement Marcel. Dites à votre amie, Caroline, que j'admire son talent.

Sonia quitte enfin l'hôpital, partagée entre divers sentiments. Elle pense à ce vieil homme et à sa courtoisie d'un autre âge. Elle revoit Antoine, son ami dont le cœur est triste et amer. Ces deux personnes représentent pour elle le jour et la nuit.

En parcourant les rues jusque chez elle, Sonia cherche la solution de la devinette d'Antoine : quatre lettres dont trois se retrouvent dans son nom. Mentalement, elle aligne le N, le I, le 0. Puis elle recommence : S A I. Encore une fois : S I A. Un nom émerge du fond de sa mémoire. Un nom qu'elle a déjà vu sur la première page des journaux. Elle frissonne et rejette violemment cette idée. Il y a sûrement une autre réponse à la devinette. 0 N A. Elle cherche encore quand elle monte les marches du triplex où elle habite.

4

Une parcelle
de vérité

Un silence épais, presque irréel, frappe Caroline au moment où elle met les pieds dans la vaste salle. Qui pourrait croire que de l'autre côté de la porte, c'est le chahut quotidien de la polyvalente? Sans bouger, elle glisse son regard entre les rayons meublés de livres avant de s'attarder aux larges tables rondes. Sonia n'est pas là. Peut-être est-elle installée à une des petites tables individuelles qui longent la section des encyclopédies?

La jeune fille avance à pas feutrés, se faufile sans bruit derrière des élèves occupés à choisir des livres et parvient enfin au mur du fond. Son amie est assise devant un gros dictionnaire. Complètement absorbée par sa lecture, elle ne remarque

Caroline qu'au dernier moment, quand celle-ci pousse une chaise près d'elle.

Sonia sursaute et tente de dissimuler une feuille, mais trop tard, Caro a déjà un œil dessus. En montrant du doigt les lettres éparpillées sur le papier, elle chuchote avec un sourire :

— Est-ce que tu joues au bonhomme pendu ?

— Non, pas vraiment, explique maladroitement Sonia. C'est… c'est pour le cours de morale, une idée folle du prof.

— Dis-moi ce que tu cherches, d'habitude, je trouve facilement.

Sonia hésite. Elle trouve difficile de parler de cela avec Caroline. Quoique celle-ci aura peut-être plus de chance qu'elle ! Depuis une semaine qu'elle essaie vainement de résoudre la devinette d'Antoine, elle en a assez de se creuser la cervelle. Même le vieux dictionnaire médical qu'elle feuillette en ce moment ne lui a été d'aucune utilité.

— D'accord, monsieur Lacombe m'a mise au défi de trouver le nom d'une maladie composée de quatre lettres. Trois d'entre elles sont dans mon prénom.

— C'est amusant, ça.

Caroline s'empare du crayon de sa copine et griffonne rapidement tout en se mordant les lèvres pour mieux réfléchir.

« Tant mieux pour elle si ça l'amuse, songe Sonia en soupirant, moi, j'en ai plein mon casque de chercher. »

Elle repense aux derniers jours qui viennent de s'écouler. Elle n'a pas revu Antoine depuis mercredi dernier. Comment aurait-elle pu retourner lui rendre visite, sans la réponse à son énigme? En six jours, elle n'est pas plus avancée qu'à sa dernière rencontre. Elle aurait pu demander à son frère de lui expliquer de quoi souffre Antoine, mais le lui aurait-il dit? C'est peu probable. Marco est plutôt discret sur son ami.

«A-t-il peur que je le lui vole? Il n'a aucune inquiétude à se faire à ce sujet. Avec son sale caractère, qui voudrait de lui? Ce n'est pas parce qu'on est malade, qu'il faut être désagréable. Plus bête que ça, tu meurs.»

— Eurêka! murmure Caroline. C'est le sida!

— Tu es folle! C'est impossible, s'écrie involontairement Sonia.

Quelques têtes se tournent en sa direction. Le regard de la bibliothécaire indique clairement que ce n'est pas un endroit pour crier ou s'exciter. Gênée, Sonia baisse le nez. Caro lui fait des yeux ronds.

— OK! Ce n'est pas ça, mais tu n'es pas obligée de m'insulter. Si tu es si fine, trouve-le toute seule.

— Ce n'est pas ce que je voulais dire. Seulement, le sida… c'est une maladie beaucoup trop grave. Ça n'a pas d'allure.

— Peut-être bien, mais ce sont les seules lettres qui fonctionnent, réplique Caro en se levant. Il faut que je parte, salut!

Elle lui tourne le dos brusquement et s'éloigne en vitesse.

— Ce qu'elle peut être susceptible, ron-chonne Sonia. Le sida, c'est une maladie d'adultes et de gais. Ça n'a rien à voir avec Antoine.

Cette conclusion, elle se l'est dite mercredi soir dernier en revenant de l'hôpital, et elle l'a classée dans un coin de son cerveau, dans un petit tiroir fermé à double tour. Et voilà que son amie, bien innocemment, en a forcé la serrure. Il est maintenant impossible à Sonia de le refermer. Cette réponse ressemble à un gros chandail de laine, noir, qui déborde de son tiroir et qui l'agace. Elle voudrait s'en débarrasser, le repousser dans sa cachette ou le rejeter au loin.

Fébrilement, elle ramasse ses affaires et se dirige hors de la bibliothèque. Le tourbillon des jeunes l'attend à la sortie. Chacun, seul ou en petits groupes, se rend vers le local du prochain cours. Elle fait quelques pas en direction de l'escalier, puis se ravise. Elle entre dans le vestiaire et prend dans sa case le texte des *Merveilleuses aventures de Merline.* Elle n'oublie pas les illustra-tions de Caroline. Puis elle quitte la polyvalente.

Elle a déjà trop attendu, et ce n'est pas dans sa nature. Elle veut savoir, maintenant, ce qui retient Antoine à l'hôpital. D'un pas décidé et pressé, elle s'y rend. Le jeune homme n'aura pas le choix, il faudra bien qu'il lui dise clairement ce qu'il a. Tant pis, s'il est malcommode. Elle n'a pas peur de lui.

Lorsqu'elle passe devant le gardien, celui-ci la salue d'un hochement de tête. Il se souvient d'elle. Les jeunes de son âge qui viennent ici sont assez rares. Il ne lui pose aucune question, il n'a pas envie de savoir à qui elle rend visite. Cela ne le concerne pas. Tout ce qui lui importe, c'est de préserver la tranquillité des lieux.

Cette fois, Sonia se paie le luxe d'emprunter l'ascenseur. L'escalier de service n'est utile que lorsqu'on se sent un peu clandestin. Ce n'est plus son cas. Monsieur Marcel l'a formellement invitée à revenir. C'est d'ailleurs chez lui qu'elle se rend en premier.

Sourire aux lèvres, elle entre dans la chambre. Le vieil homme est allongé sous ses couvertures et dort paisiblement. La jeune fille aperçoit, fixé à son bras, un tube transparent qui remonte jusqu'à une pochette plastifiée. Un liquide jaunâtre coule goutte à goutte pour le bien-être du patient. Toujours aussi mal à l'aise à la vue des équipements médicaux, elle retourne vivement dans le couloir. Sa belle assurance vient de fondre. Les événements ne se déroulent pas comme prévu. Elle ne pourra pas lire son histoire à monsieur Marcel. Cela sous-entend qu'elle devra revenir une autre fois, si elle veut tenir sa promesse.

Et Antoine? Il dort peut-être lui aussi. Elle s'approche en silence de sa chambre. La porte est grande ouverte et elle peut le voir, assis dans l'unique chaise, faisant face à la fenêtre. Il est perdu dans ses rêveries. Son visage est calme et détendu. Dehors, avril a cédé sa place à mai, et son bénéfique soleil réchauffe Antoine à travers la vitre. Il a la tête renversée en arrière et ses cheveux emmêlés pendent par-dessus le dossier.

Ses pieds sont appuyés sur le mur devant lui et ses doigts tambourinent délicatement sur ses genoux.

Sonia a le vague sentiment qu'elle ne devrait pas le déranger. Il a besoin de repos et de calme, pas de se faire questionner par une personne trop curieuse. C'est la première fois qu'elle réalise qu'elle se mêle de ce qui ne la regarde pas. Laquelle de ses deux petites voix intérieures doit-elle écouter? Celle qui lui suggère de quitter ces lieux et de ne pas harceler son ancien ami? Ou celle qui l'incite à toujours en savoir davantage? Les yeux rivés sur ses vieux souliers de course au cuir usé, elle oscille entre les deux.

Avant qu'elle n'ait pu résoudre son épineux problème de conscience, une voix la taquine:

— Est-ce que tu attends de prendre racine ou bien es-tu à la recherche de bestioles à pattes multiples?

Elle lève subitement la tête pour croiser le regard ironique d'Antoine. Il n'a bougé que très légèrement son visage en sa direction et c'est du coin de l'œil qu'il l'examine. Puis, sans attendre sa réponse, il poursuit:

— Désolé, mais je n'ai pas d'autre chaise à t'offrir. Si tu veux t'asseoir, prends le lit.

Sans dire un mot, elle s'y hisse avec des gestes délicats, comme si elle avait peur de froisser les draps. Avec ses pieds, Antoine pousse sur le mur pour tourner la chaise vers elle. Il l'observe encore avec son drôle de sourire. Pour dissiper sa gêne, elle parle la première.

— Tu as l'air d'aller mieux, aujourd'hui!

— Les médecins appellent ça une rémission. Il ne faut pas t'en faire, c'est seulement passager. D'ici un jour ou deux, je serai aussi malade qu'avant, pire même. Sais-tu que tu es plus brave que je ne le pensais? Revenir me voir maintenant que tu es au courant. Faut le faire! Il n'y a pas à dire, toi et ton frère, vous avez beaucoup de courage... ou bien vous êtes complètement inconscients. Tellement de gens passent devant ma porte sans oser entrer. Le sida, c'est pire que la peste!

Sonia baisse la tête pour cacher son trouble. Le sida! Caro et elle avaient bien découvert le nom de la maladie. Dans la tête de l'adolescente, le chandail de laine noir bascule du tiroir et se gonfle comme un coussin d'air pour prendre tout l'espace disponible dans son crâne, bousculant et écrasant tout le reste. Le sida, cette horreur! Elle a peine à y croire.

— Tu peux partir si tu veux, reprend Antoine sur un ton plus amical. Il n'y a rien qui t'oblige à rester.

C'est mal connaître Sonia, elle n'est pas du genre à abandonner quelqu'un qu'elle aime. Elle fait front et c'est la tête haute qu'elle rejette l'offre.

— Pas question! Personne ne m'a traînée de force ici. Je partirai quand je voudrai! Ou quand tu seras fatigué, ajoute-t-elle très vite.

Ces quelques mots vont droit au but. Antoine ressent une petite bouffée de chaleur au creux de sa poitrine. Il y a si peu de gens qui l'ont traité en être humain ces derniers temps qu'il en a perdu l'habitude. Il a l'impression que, pour la plupart des infirmières, les patients ne sont que des objets animés de vie qui devraient souffrir à heure fixe (celle des médicaments), manger aux heures réglementaires et dormir toute la nuit (de force s'il le faut). Pour les médecins, c'est pire : un malade égale une fiche gribouillée à la hâte. Côté visiteurs, à part son père et le fidèle Marco, personne ne s'est déplacé pour lui.

Il s'agite sur sa chaise et cherche un sujet de conversation. N'importe quoi plutôt que de parler de sa santé. Il aperçoit le cahier noir et la chemise à pochettes que Sonia tient à la main.

— Pas trop de devoirs à faire à la maison ? demande-t-il en les montrant du doigt.

— Non, ce n'est pas du travail pour l'école. C'est quelque chose que j'ai écrit, comme ça, pour le plaisir d'écrire.

— C'est vrai, je me rappelle que, dans le temps, tu te promenais partout avec un crayon et un calepin pour noter des histoires que tu inventais. Tu n'as pas changé !

— La seule différence, c'est que maintenant, j'ai déniché quelqu'un pour illustrer mes histoires. Regarde !

Elle aussi veut éviter, pour l'instant, de parler de la maladie d'Antoine. Alors, elle ouvre la chemise et étale devant lui les croquis de Caroline. Il y en a une dizaine qui se rapportent aux aventures de Merline. Son texte aussi a pris du poids. Elle l'a enrichi de plusieurs mésaventures et incidents épiques. Antoine admire les dessins avant de s'emparer du cahier. À haute voix, il lit le début tout en l'agrémentant de ses commentaires narquois. Puis, il saute quelques paragraphes et reprend sa lecture de la même façon. Il recommence ainsi à plusieurs reprises et, finalement, il rend le manuscrit à Sonia.

— Ce n'est pas si mal pour une débutante. C'est amusant, quoiqu'un peu empesé.

— Empesé?

— Oui, comme si c'était pris dans un moule. Comment dire? Stéréotypé. C'est une histoire d'aventures au Moyen Âge comme toutes les histoires d'aventures de cette époque-là. C'est quand même bien. Les dessins aussi sont beaux, continue-t-il en les feuilletant, mais ils ont le même défaut. Ils sont trop fidèles à l'image que l'on se fait des châteaux et des chevaliers. Ils manquent... d'originalité.

— Tu es pas mal difficile! s'exclame Sonia.

L'adolescent sourit et admet:

— C'est vrai. J'ai toujours eu un goût un peu bizarre. J'aime ce qui est spécial, ce qui sort de l'ordinaire comme ce dessin.

Il prend une illustration légèrement différente des autres. Elle est travaillée au fusain et représente Merline, sans atours, les cheveux légèrement au vent. Les traits du visage ne sont pas nettement définis. Caroline maîtrise encore mal la technique du fusain. Pourtant, si on la regarde de loin, l'image est jolie. On pourrait presque croire qu'il s'agit de Sonia.

— À mon avis, c'est plus simple et meilleur, explique Antoine.

— Tous les goûts sont dans la nature. Moi, je trouve ça fade. Je te la donne, si tu veux.

— Vrai? Merci.

Il tente vainement de l'appuyer contre le mur sur la table de chevet, mais elle ne tient pas. Ce petit geste fait réaliser à Sonia la nudité des murs. Elle ne peut s'empêcher de dire:

— Ça manque de décoration ici! Le dessin irait bien juste au-dessus de ton lit. Tu devrais mettre des affiches, ça ferait plus gai.

Le visage d'Antoine se referme. La gaieté, il n'en a rien à faire. Gaieté signifie joie de vivre. Pour le temps qu'il lui reste!

— Aucune importance! Décoration ou non, ça ne changera rien.

Sa voix est rauque, dure. Sa bouche sourit avec mépris. Ce changement subit d'attitude étonne Sonia. Qu'a-t-elle bien pu dire pour lui être désagréable?

— Je ne voulais pas mal faire en disant ça, s'excuse-t-elle. Je pensais seulement que tu aimerais avoir…

Antoine s'écrie violemment:

— Ce que j'aimerais? J'aimerais qu'on cesse de penser à ma place! Qu'on arrête de vouloir des choses pour moi, pour mon bien! C'est pour mon bien que ma mère m'a renvoyé chez mon père! C'est pour mon bien que mon père m'a placé à l'hôpital! C'est pour mon bien que je vais finir mes jours ici, entre ces quatre murs vides.

Mais ce que je désire vraiment, personne ne veut le savoir. C'est bien plus simple d'imaginer ce dont j'ai envie, de choisir pour moi. La seule question que je me pose, c'est : « Est-ce qu'ils font ça parce que je suis trop jeune ou parce que je suis trop malade pour prendre une décision ? »

Il enfouit rapidement son visage sur ses jambes pour tousser. Une toux forte et prolongée qui le secoue entièrement. Il a trop crié et a réveillé en lui la pneumonie qui lui laissait un peu de répit depuis ce matin.

Une infirmière (celle que monsieur Marcel a présentée à Sonia la semaine dernière) entre en coup de vent dans la chambre.

— Que se passe-t-il ici ? gronde-t-elle doucement. Tu sais bien que tu dois te reposer. Il ne faut pas te mettre dans un tel état. Allez, allonge-toi sur ton lit et cesse de t'énerver ainsi. Ça ne t'avance à rien.

Antoine regarde Sonia et lui dit d'une voix ironique où perce une pointe d'amertume :

— Tu vois ? Même elle, elle pense à mon bien. Je dois être reconnaissant pour toute cette bienveillance manifestée à mon égard. Vous voulez mon bien, vous l'avez. Le seul bien qui m'importait, mon autonomie, mon indépendance, tout le monde l'a pris. Qu'est-ce qui me reste ?

D'un geste autoritaire, la garde soulève les draps et indique à l'adolescent de se coucher. N'ayant pas envie de discuter avec un tel bougon, elle préfère se taire. Pourtant, il n'y a aucune agressivité dans son attitude. Elle installe confortablement son patient. Sonia a l'impression qu'elle le borde comme une mère. Une mère un peu rude, décidée, mais qui ne manque pas d'affection.

Avant de sortir de la chambre, elle dit à la jeune fille qui s'est réfugiée dans un coin, près des fenêtres :

— Il vaudrait mieux ne pas le fatiguer plus longtemps.

Puis, elle disparaît sans attendre la réponse. Antoine n'est pas son seul malade et son temps est compté.

— Trois petits tours et puis s'en vont! murmure Antoine. L'infirmière est apparue avec sa compétence, elle a exécuté son travail avec diligence et elle s'en fut comme elle était venue. N'est-ce pas merveilleux, la magie de la science médicale? Et n'oublie pas, p'tit singe, qu'il faut avoir en la médecine une foi sans bornes! Les médecins et les infirmières sont les possesseurs de la connaissance suprême et toi, tu n'es que l'ignorance crasse.

— N'exagères-tu pas un peu?

— Pas du tout! N'as-tu pas remarqué? Ce que je peux dire ou ressentir n'a absolument aucune importance. Ce qui compte, c'est le chiffre sur le thermomètre ou le rapport du radiologiste. Quand tu mets les pieds dans un hôpital, oublie que tu es un homme, une femme ou un enfant, tu deviens un patient. Et, crois-moi, ta patience, ils en abusent.

Sonia s'approche de lui et s'appuie contre le lit. Sans dire un mot, elle l'observe. Elle souhaite ardemment qu'il guérisse et sorte de cet endroit qui le rend si agressif. Il serait beaucoup mieux à la maison. Elle en est convaincue.

— Puisque tu te sens mieux depuis quelques jours, tu vas bientôt sortir d'ici. Tu pourrais rester chez nous. Ma mère n'y verrait pas d'objection. Je peux lui en parler, si tu veux.

Antoine la regarde, étonné, choqué.

— Tu n'as pas l'air de comprendre, p'tit singe, je suis ma-la-de, dit-il enfin en appuyant sur les mots. C'est «moins pire» aujourd'hui, mais c'est seulement passager. Ah! J'ai déjà eu des rémissions qui ont duré plusieurs semaines, des mois, même. Mais plus maintenant! Regarde-moi! J'ai maigri de 15 kilos et je n'étais déjà pas gros. D'ailleurs, j'ai déjà recommencé à avoir la diarrhée. Ils ne peuvent pas me laisser sortir.

— Mais… les médecins, ils ne peuvent rien faire pour toi? Il y a sûrement des médicaments, quelque chose. Je ne sais pas, moi.

— Tu n'es pas toute seule à ne pas savoir. Eux non plus! Oh! Ils essaient de nouveaux traitements, mais sans résultat. Peut-être, un jour, trouveront-ils la solution. Peut-être bien.

Ces dernières paroles rassurent Sonia. Son ami va guérir, il le faut. On ne peut quand même pas mourir à 17 ans. Elle élimine bien vite cette possibilité.

— Si tu veux, demain, je t'apporterai du papier collant pour installer le dessin sur le mur.

Est-ce qu'il y a autre chose que tu aimerais avoir?
De la musique? Je peux te prêter mon baladeur et
des CD. Ce n'est pas un iPod, mais il fonctionne
bien.

— Ce n'est pas une mauvaise idée, mais pas
trop de rock. J'aime mieux le blues.

— Autre chose avec ça? Des livres? De la
réglisse?

— Non, rien à manger, dit Antoine en
souriant.

Ils se taisent quelques secondes. Chacun est
figé dans une attitude qui semble fausse. Cette
situation devient trop pénible pour l'adolescent
qui y met fin en prenant pour excuse sa fatigue.

— Bon, je reviendrai demain, se hâte de dire
Sonia. Salut!

Avant qu'elle n'ait quitté la pièce, Antoine la
rappelle pour lui demander de ne rien dire à sa
mère. La jeune fille est d'accord avec lui, il vaut
mieux qu'elle n'en sache rien. Sonia pense que
puisque Antoine va guérir, il est vraiment inutile
d'inquiéter sa mère avec ça.

5

Tout pour
faire plaisir

Marco pose le pied dans une flaque d'eau, mais il le remarque à peine. La pluie tombe dru et le jeune homme se hâte d'atteindre le coin de la rue. Il en est à quelques pas quand un autobus passe sans s'arrêter.

— Merde! bougonne-t-il.

Il sait bien que le prochain n'arrivera que dans 25 minutes. Il va donc lui falloir se taper 15 minutes de marche sous la pluie battante avec son colis encombrant sous le bras.

Il peste intérieurement contre sa sœur. Il se demande comment il a bien pu se laisser entraîner par elle. Au départ, l'idée lui avait semblé excellente. Leur ami Antoine s'ennuie à l'hôpital, c'est évident, et pour le distraire, elle a suggéré de lui prêter leur Nintendo. Sans le dire à leur mère, il va de soi. L'argument de Sonia lui revient à l'esprit :

«Maman ne s'en apercevra pas, elle ne joue jamais avec! Et puis, si elle s'en rend compte, je lui dirai que je l'ai apporté chez Caro et que je vais jouer avec elle après la classe. Parce que Caro, elle ne peut pas venir ici, vu qu'elle garde sa petite sœur jusqu'à l'heure du souper! Ça va passer comme du beurre dans la poêle, pas de problème!»

«Pas de problème! songe Marco en soupirant. Pour elle, peut-être! Ce n'est pas elle qui est prise pour traîner le jeu à l'hôpital. Maudite pluie! J'ai l'air d'un phoque qui sort de son bain. On aurait pu attendre à demain, ça aurait fait pareil. Non! Madame Sonia a toujours raison. C'était tout de suite, aujourd'hui, ça pressait… Un jour de plus ou de moins, je te jure!»

Et pourtant, malgré la pluie qui n'a pas cessé de tomber depuis ce matin, Marco a accepté de partir de l'école après les cours pour aller chercher le jeu, pendant que Sonia se rendait directement à l'hôpital. Il a accepté parce qu'il sait bien que son ami ne peut se permettre de gaspiller une seule journée de sa trop courte vie.

La plupart du temps, il s'efforce de ne pas y penser, mais c'est difficile. Au début, Marco avait commencé par nier l'évidence, cela lui semblait impossible. Il se disait que les médecins avaient dû faire une erreur de diagnostic, que les tests étaient mauvais. Il avait même incité son ami à changer de médecin. Antoine avait refusé parce qu'il l'avait déjà fait à deux reprises.

Alors, Marco s'était fâché contre la médecine incapable de guérir son ami, contre la vie qui finit toujours par la mort, contre la malchance. Il en avait parlé avec Antoine, comme ils se sont toujours parlé depuis qu'ils se connaissent, sans rien se cacher. Il avait réalisé que ses pensées, ses sentiments et sa révolte correspondaient à ceux d'Antoine. Ça n'avait pas été facile au début d'aborder le sujet, mais plus les mots sortaient, plus ils se sentaient soulagés. Cela les avait apaisés pour un certain temps, malheureusement l'irritation reprenait régulièrement le dessus. Pourquoi lui? Pourquoi pas n'importe quel vieil imbécile qui encombre le monde et que personne ne regretterait? Antoine était jeune, plein de rêves et de projets. D'un seul coup, son avenir se trouvait projeté en l'air par une chiquenaude du destin.

C'est pour tout cela que Marco a accepté l'idée folle de sa sœur, malgré la pluie, malgré le mensonge à sa mère, malgré son chagrin. Il veut apporter à son ami un peu de joie pour ses derniers moments. Il revoit le sourire de gratitude de Sonia quand il a dit oui. Sonia! Comprend-elle vraiment à quel point Antoine est atteint? Il en doute. Elle est encore petite et ne sait pas grand-chose de la vie et de ses problèmes. Il l'envie un peu, il y a des réalités qu'il aimerait mieux ignorer.

La tête baissée pour éviter la pluie qui lui fouette le visage, il marche d'un pas décidé vers l'hôpital. Il pousse la porte d'entrée et salue brièvement le gardien. Celui-ci lui lance une réflexion sur la température et les canards. Marco sourit et approuve avant de prendre l'ascenseur. Ses cheveux et ses vêtements, complètement trempés, lui collent au corps. L'eau dégouline sur son visage, coule sur le dos de sa veste de cuir, moule son jean tout contre ses jambes et se répand par terre autour de ses pieds. Chaque fois qu'il dépose un soulier sur le plancher, il en écrase la semelle et sent l'eau qui lui remonte entre les orteils.

Il entre dans la chambre d'Antoine. L'endroit est méconnaissable. Sonia, qui est arrivée bien avant lui, a transformé la pièce froide et dénudée en chambre accueillante. Des illustrations et des décorations en céramique ornent les murs, divers petits objets en poterie sont placés sur le rebord de la fenêtre ainsi que sur la table de chevet.

— Où as-tu trouvé tout cela? s'exclame Marco.

— Salut, ça te plaît? demande Sonia en ignorant la question de son frère.

— Oui, quoique ça fait un peu chargé. Où as-tu pris toutes ces choses?

— Chargé? Il y en a peut-être un peu trop, mais c'était pour qu'Antoine choisisse, dit-elle en évitant encore de répondre.

Elle n'a pas vraiment envie de leur expliquer que tous ces objets sont un don du professeur d'art. Celui-ci, s'imaginant que la jeune fille veut décorer une salle étudiante, lui a aimablement offert de choisir ce qui lui plaît parmi les œuvres non réclamées des années antérieures.

— D'accord, mais comment as-tu eu ça? insiste Marco que la pluie a rendu impatient.

— Ah! C'est mon secret.

Assis en indien dans son lit, Antoine, sans dire un mot, ricane de ce début de dispute. Il a depuis longtemps l'habitude de les voir se quereller pour un oui ou pour un non. Étant fils unique, il n'a pas la chance d'avoir une petite sœur à taquiner, alors il se contente d'observer les autres.

Jugeant qu'il se rendrait ridicule à persévérer dans ses questions, Marco se tourne vers son ami et change de sujet.

— Je t'ai apporté ce que mon énigmatique sœur m'a demandé.

— Qu'est-ce que c'est? fait Antoine intrigué par le gros sac de poubelle que son ami dépose avec précaution sur le sol.

— Ça, c'est mieux qu'un secret, c'est une surprise! s'écrie joyeusement Sonia.

Sans attendre, elle se précipite sur le sac et se débat avec le nœud. Marco la laisse faire et entre dans la salle de bains. Il en ressort avec une serviette sur la tête qu'il éponge consciencieusement. De pouvoir se sécher lui rend un peu de sa bonne humeur.

— Alors, mademoiselle les doigts de fée, on ne parvient pas à ouvrir le sac?

— Quelle espèce de nœud de fou as-tu fait?

— C'est un nœud de scout! réplique-t-il en se plaçant au garde-à-vous. Scout un jour, scout toujours!

— Idiot, tu n'es jamais allé chez les scouts. Ah! Je l'ai. Adadam! lance-t-elle en exhibant enfin le jeu.

Antoine en reste bouche bée. Il semble perplexe et embarrassé. Une phrase résume sa pensée:

— Comment pensez-vous installer ça, ici?

— Avec ceci! rétorque Marco en sortant de sa poche un petit câble bien enroulé et un adaptateur. Ce n'est pas compliqué.

Sans en dire plus, il s'approche du téléviseur loué et se met à l'œuvre. Pendant ce temps, Sonia sort du sac les différentes manettes ainsi que quelques cassettes qu'elle montre à Antoine. Ce qui embête le plus le jeune homme, c'est l'implication de ce prêt. Il ne s'agit pas d'un simple livre, mais d'un objet d'une valeur relativement élevée. La mère de ses amis n'a jamais été très riche, loin de là, et il le sait. Ce jeu représente probablement une part importante de son salaire.

— Qu'est-ce qu'elle a dit, ta mère, pour le jeu?

— On ne lui en a pas parlé. Tu ne voulais pas qu'on lui dise que tu es ici, réplique vivement Sonia. Ne te préoccupe pas de ça, elle n'en saura rien.

— Aucun problème, renchérit Marco. Si elle pose des questions, on va s'arranger avec elle.

Antoine est de plus en plus mal à l'aise. Il voudrait bien se sentir reconnaissant envers Sonia et Marco, mais mentir à madame Pelletier le trouble. Il n'a d'elle que de bons souvenirs. Toujours souriante et gentille, elle n'hésitait pas, quand ils étaient plus jeunes, à passer de longues heures au parc avec eux, à partager leurs jeux, à prendre le temps de s'asseoir pour les écouter. Ses réflexions sont interrompues par Marco qui a réussi à brancher l'appareil et qui lui demande de l'essayer. Sans même regarder ce qu'il choisit, Antoine prend au hasard une cassette qu'il insère dans la console. Tout semble bien fonctionner.

Trois petits coups sur la porte font sursauter les adolescents. C'est une infirmière que Sonia ne connaît pas. Toute menue, ses cheveux noirs bien fixés derrière la tête, elle a tous les traits d'une Asiatique. D'une petite voix douce et polie, elle demande à la jeune fille si elle veut bien rendre visite au vieil homme de la chambre voisine. Monsieur Marcel serait enchanté si elle acceptait cette invitation.

— Oui, bien sûr, acquiesce Sonia. J'arrive dans une minute.

Avant de se retirer, l'infirmière lance un regard à Marco et lui suggère de se sécher davantage, pour éviter de prendre froid. Puis, d'un rapide coup d'œil, elle voit le jeu vidéo. Elle sourit de cette initiative et sort silencieusement.

Antoine émet un long sifflement et se moque de Sonia:

— Tu ne perds pas ton temps, p'tit singe.
C'est à peine ta quatrième visite et tu as déjà un
petit ami! Je vois que tu as un faible pour les
hommes mûrs, un peu grisonnants sur les tempes.
À moins que tu convoites son argent?

— Oh! Antoine! Ce que tu peux être bête, se
choque-t-elle sous les rires moqueurs des deux
garçons. Tant pis! Vous n'êtes pas assez fins, ni
l'un ni l'autre, je ne vous dirai pas qui c'est.

— Ça fera seulement un secret de plus,
remarque Marco. On commence à être habitués.

Elle hausse les épaules d'un air dédaigneux,
agrippe son sac d'école et quitte les deux adolescents. Ils peuvent bien rire d'elle, ça lui est égal.
Elle a mieux à faire que de se préoccuper de leurs
taquineries. Un monsieur, plus gentil et plus
civilisé qu'eux, la demande. La porte de sa
chambre est ouverte. L'infirmière aux yeux bridés,
debout près du lit, vérifie le pouls de son patient.
Son bras est encore attaché à une poche de soluté.

Sonia fait un effort pour ne pas retourner
dans le corridor. S'il fallait que Marco et Antoine
la voient revenir aussi vite, ils ne manqueraient
pas de la ridiculiser. Elle respire profondément et
attend que l'infirmière ait terminé son travail. En
sortant de la chambre, celle-ci murmure à Sonia:

— Il est très faible, mais comme il insiste
vraiment pour vous voir, allez-y. Si vous sentez
qu'il se fatigue ou qu'il s'endort, laissez-le.

L'infirmière s'éclipse et Sonia s'approche du
malade. Il est pâle et d'une maigreur à faire peur.

Il semble incapable de bouger. Si ce n'était sa respiration qui est lente et difficile, on pourrait croire que le vieil homme est mort. La jeune fille est prise de panique devant cette souffrance muette, elle qui supporte mal la douleur. Elle esquisse un geste pour s'enfuir, mais la voix chaude et invitante de l'homme la fige sur place :

— C'est bien vous, mademoiselle Sonia ?

Il ouvre les yeux. Son regard semble sonder le sien. Il lui sourit avec tant de gaieté évidente qu'elle en fait autant. Elle se rassure rapidement : si c'était grave, il ne sourirait pas. Elle hoche la tête.

— Oui, c'est bien moi. Quand je suis venue, hier, vous dormiez, alors je n'ai pas voulu vous déranger.

— C'est vrai, je dors beaucoup ces derniers jours. Mais pour l'instant, je suis bien éveillé et j'apprécie à sa juste mesure le temps que vous voulez bien me consacrer.

Le débit de sa voix est lent, mais le ton est toujours aussi poli et agréable. Une petite lueur de joie calme et sereine semble briller au fond de ses yeux. Sonia retrouve l'ambiance amicale et complice qui s'était créée à leur première rencontre. Cela l'encourage à faire des confidences.

— J'ai continué à écrire depuis la dernière fois qu'on s'est vus. Et j'ai d'autres dessins à vous montrer.

Elle sort de son sac les croquis de Caroline et les lui tend. Les mains du vieil homme tremblent en soutenant les feuilles à la hauteur de son visage. Il s'épuise rapidement et repousse les dessins.

— Ils sont magnifiques, vraiment! Votre amie devrait développer son don. Ce qui m'intéresse davantage, c'est votre talent à vous. Je... Enfin, si ça ne vous force pas, je suis toujours prêt à vous écouter.

Sonia est gênée, mais accepte. Monsieur Marcel devient la troisième personne, après Caro et Antoine, à qui elle lira une de ses inventions. Elle tire son cahier noir de son sac et s'installe confortablement dans la chaise située sous la fenêtre. Elle tousse un peu pour s'éclaircir la voix et, avec les intonations appropriées, récite son texte.

Monsieur Marcel écoute avec attention, même s'il ferme les yeux. Il dodeline doucement de la tête, au rythme des paroles de la jeune fille. Il l'arrête parfois pour lui faire reprendre un passage qu'il aime bien. Il l'interrompt aussi pour glisser quelques commentaires discrets sur son style et la façon de l'améliorer. Sonia note mentalement ses suggestions qui ne ressemblent en rien à celles que pourrait lui faire son professeur de français. Elle parvient ainsi jusqu'à la fin de l'histoire de Merline.

— Voilà, c'est fini, dit-elle en guise de conclusion.

Il applaudit lentement et lui exprime sa reconnaissance:

— Merci, c'était magnifique. Vraiment, je suis sincère. Vous avez été bien aimable d'accorder ainsi une dernière faveur à un vieux monsieur comme moi. La vie vous le rendra. Souvenez-vous-en, un bien n'est jamais perdu. Il se répercute dans l'univers, tel un boomerang, pour nous revenir au moment où nous nous y attendons le moins.

— C'est la première fois que j'entends cette expression. Elle est amusante.

— Elle est surtout vraie. Parole d'un vieux fou!

— Vous n'êtes pas fou! rétorque Sonia, surprise par cette remarque.

— Et qu'en savez-vous, jeune demoiselle? Vous ignorez tout de moi et des 72 ans que j'ai vécus. Et pourtant, vous avez montré plus d'attention à mon égard et plus de diligence à exaucer un de mes souhaits que plusieurs personnes de mon entourage. C'est méritoire.

— Non! C'est parce que... parce que je vous trouve gentil et moderne. Oui, malgré votre âge, vous êtes plus ouvert que bien des adultes de vingt ou trente ans. C'est peut-être aussi parce que, tous les deux, on aime les livres et les histoires. On a un point en commun et...

Sonia se tait car l'homme grimace soudainement. Il respire plus vite comme pour chasser une douleur. Le souffle coupé, il chuchote:

— Je crois... malheureusement que... nous devons mettre un... terme à cette conversation. Voulez-vous appeler la garde pour moi? Merci encore.

Sonia le salue brièvement et court dans le couloir à la recherche d'une infirmière. Elle trouve finalement celle qui a réprimandé Antoine, hier, dans une petite salle vitrée au bout du corridor. Après lui avoir exposé la requête de monsieur Marcel, elle retourne dans la chambre d'Antoine. Il est seul, occupé à combattre un adversaire redoutable dans un match de tennis électronique.

— Marco n'est pas là ? s'informe-t-elle.

— Non, il est parti. Il commençait à avoir froid avec ses vêtements mouillés, répond le jeune homme sans quitter l'écran des yeux.

L'adolescente observe le jeu de son ami pendant quelques instants, puis elle ramasse ses affaires pour quitter l'hôpital. Elle a l'impression de manquer d'air et elle ressent le besoin de s'éloigner de cet endroit hanté par la souffrance d'autrui.

— Merci, p'tit singe, lui lance Antoine en la voyant partir. Ne compte pas les tours, je ne suis pas tellement *sorteux*.

6

Contact

Nʼayant pu trouver son amie dans la café-téria, Sonia se faufile entre les joueurs de ping-pong et leurs supporteurs qui occupent tout le fond de cette grande salle, avant dʼatteindre la porte du café étudiant. À lʼintérieur, nulle trace de Caroline. Sonia se dirige donc vers le corridor des petites salles réservées aux activités parascolaires.

Les rires de plusieurs jeunes la guident au 029, le local du fond. Caro est bien là, ainsi que Ben Super-sans-tête, Geneviève, Alice, Luiggi, Pierre-Luc et un autre garçon que Sonia ne connaît pas. Ils ont lʼair de tellement bien sʼamuser quʼelle nʼose pas entrer. Cʼest Ben qui remarque le premier sa présence.

— Salut, Sonia! Cʼest super! Viens tʼasseoir.

Joignant le geste à la parole, il tire une chaise près de lui à la grande table où ils sont tous installés. Des sourires approbateurs l'incitent à accepter le siège. Il n'y a que Caroline qui évite son regard. Il est évident qu'elle ne lui a pas pardonné sa conduite d'avant-hier. Sonia s'en veut d'avoir été si brusque avec elle, mais elle croit avoir quelque chose qui vaut mille excuses : un amoureux pour Merline. En lisant son texte à monsieur Marcel, elle a réalisé qu'il y manquait effectivement un petit côté romanesque. Elle a donc inventé un nouveau personnage, jeune, mystérieux et intrigant, dont Merline tombera amoureuse. Elle en est convaincue, cela plaira à Caro, quand elle cessera de la bouder !

Alice, une Haïtienne à la voix chantante, explique que le groupe a décidé de créer un journal-souvenir pour la fin de l'année.

— Il faudrait d'abord savoir à quoi on veut qu'il ressemble, ce journal, l'interrompt Luiggi en roulant ses « r » d'une façon très prononcée.

Sonia observe à la dérobée sa peau foncée et ses cheveux noirs raides, et se demande de quel pays de l'Amérique du Sud il est natif. Il le lui a déjà dit, est-ce l'Argentine ou la Bolivie ? À moins que ce ne soit le Pérou ? Une voix inconnue la rappelle à l'ordre.

— Il ne reste même pas deux mois avant les vacances d'été, c'est court. Si nous voulons sortir notre papier à temps, il faut planifier tout de suite le travail de chacun. D'abord, il nous faut l'autorisation d'utiliser la photocopieuse du secrétariat et demander s'il y aura des frais. Qui veut s'en charger?

Cet adolescent, dont Sonia ignore encore le nom, lui paraît bien organisé et surtout bien organisateur! Son attitude de commandant en chef lui déplaît instinctivement. Pourtant, les autres membres du groupe n'ont pas l'air incommodés par sa manière d'agir. Au contraire, ils semblent soulagés que quelqu'un décide pour eux, leur facilitant ainsi la tâche.

Geneviève s'offre pour la démarche auprès de l'administration de l'école, elle sera aussi responsable de la mise en pages des articles. Pierre-Luc et Luiggi deviennent des journalistes sportifs à la recherche des événements les plus intéressants de l'année. Les affaires culturelles seront couvertes par Alice et Caro. Cette dernière se propose même d'effectuer une bande dessinée ou une caricature appropriée à l'école.

— Et toi, Ben? demande le grand chef. De quoi vas-tu t'occuper?

Sa question sonne comme un reproche. À l'entendre, l'oisiveté n'est pas permise dans ce club sélect. Pour en faire partie, chacun doit avoir une occupation bien précise. Sonia n'apprécie guère de voir cet étranger bousculer Ben par son regard inquisiteur et son claquement de langue impatient. Elle réalise que plus on attend sa réponse, moins Ben sait quoi dire. Elle vient à sa rescousse en suggérant:

— Il pourrait faire les chiens écrasés! Oui, les faits divers ou les potins, si vous préférez. Je suis certaine que Ben a beaucoup de talent pour ça.

— Oui, oui, les potins, s'écrie Ben soulagé. Pas de problème. LES SUPERPOTINS DE BEN. Super, non?

— Peut-être bien, fait le leader du groupe, mais n'oublie pas qu'il s'agit d'un journal correct. Ce n'est pas pour régler des comptes personnels que nous l'écrivons, mais pour garder un bon souvenir de notre année.

— Et les meilleurs souvenirs sont les plus drôles, ajoute sournoisement Sonia. Il ne faut pas avoir peur de s'amuser un peu, dans les limites du respectable, évidemment. Fais confiance à Ben. Et toi, que feras-tu? continue-t-elle très vite pour lui renvoyer sa question.

— L'éditorial, il faut bien que quelqu'un s'occupe de présenter le journal. Je m'en charge.

«La confiance règne, songe la jeune fille qui prend plaisir à embêter l'adolescent. Surveille bien ses yeux, chère Sonia, quand il saura ce que tu as envie de faire!»

— Je crois que, moi, je vais écrire une revue satirique des enseignants.

À part l'éditorialiste, tous les autres jeunes réunis dans le petit local connaissent bien Sonia et ils ont tous eu l'occasion d'apprécier des échantillons de ce qu'elle peut écrire quand elle se moque, gentiment, des professeurs. Aussi, leur réaction est plus que positive à cette proposition. Ils rient, font des commentaires joyeux et soutiennent l'idée de Sonia. L'adolescent serre les dents et fixe Sonia droit dans les yeux avant de finalement sourire.

— D'accord, dit-il enfin en rappelant à l'ordre son groupe dissipé. D'accord, écris ton texte, ensuite, on jugera de ce que ça vaut.

«Il est culotté, l'animal! Il ne va tout de même pas censurer mon travail!» pense Sonia, insultée.

— C'est pareil pour tous les textes, j'imagine? demande-t-elle. Tous, même le tien, doivent être acceptés par l'ensemble du groupe.

— Bien sûr! s'écrie Pierre-Luc, sinon ce ne serait pas le journal de toute l'équipe.

Les autres l'approuvent de la voix et du geste. L'inconnu n'a pas le choix, il abonde dans le même sens, mais à regret, semble-t-il à Sonia.

Quelques minutes plus tard, le groupe se sépare, chacun devant se rendre en classe. Sonia se glisse près de son amie, Caro. Ben marche à quelques pas derrière elles. Caro s'exclame:

— Il est fantastique! N'est-ce pas?

— Qui ça?

— Mais Charles! Tu ne l'as pas remarqué? Il a les yeux verts, il est superbe! Une vraie tête d'acteur…

— Ah! Oui, tu parles du fendant qui mène tout le monde par le bout du nez! Dans le genre énervant, il n'est pas mal.

— Sonia! s'écrie Caro offusquée. Tu ne connais rien aux garçons.

— C'est vrai, je n'ai pas ta longue expérience de la vie. Où l'as-tu découvert, celui-là?

— Sur quelle lune est-ce que tu vis? C'est un élève de deuxième secondaire, comme Pierre-Luc et Alice.

— Mais eux, on les connaît depuis longtemps. Tandis que ton zouave nous tombe du ciel, et pouf… tout le monde doit lui obéir.

— Tu te trompes sur son compte. Il veut seulement qu'on réussisse à faire le journal.

— Tu as peut-être raison, dit Sonia à contrecœur en entrant dans la classe. Changement de sujet, regarde, j'ai écrit quelque chose qui va te plaire.

Elle lui donne deux feuilles remplies de sa belle écriture ronde. Caro voudrait bien les lire immédiatement, mais madame Jetté ne tolère pas de retard dans son cours. Les deux jeunes filles s'assoient rapidement à leur place. Quand Ben passe à côté de Sonia, il se penche vers elle et lui chuchote:

— Tu as raison, Charles, c'est un super zouave!

— Benoît, dit madame Jetté d'une voix autoritaire, encore un mot et tu auras une copie.

— Ouach! marmonne Ben, c'est débile en super, toujours obligé de se taire.

— Benoît, 50 fois: «Je dois garder le silence en classe», proclame l'enseignante qui, sans plus attendre, commence sa leçon.

L'adolescent fulmine, mais obéit en silence. Sur une feuille, il aligne 25 «je» et autant au verso, tout en essayant de tendre une oreille distraite aux explications de l'enseignante.

Sonia, qui trouve exagérée cette punition, commence sa satire avec pour première victime Lucie Jetté. De son côté, Caroline lit en cachette le texte de son amie.

C

Le visage dans ses bras croisés sur son oreiller, la jeune fille fait un effort pour respirer calmement. La couverture remontée derrière sa tête, elle songe à sa journée. Sonia se dit qu'elle fut très bonne, pourtant quelque chose l'empêche de dormir. Ce n'est quand même pas Charles le zouave qui l'embête. Elle n'a pas l'intention de se laisser marcher sur les pieds par ce blanc-bec et cette première rencontre entre elle et lui l'a plutôt amusée. Non, son trouble vient d'ailleurs.

C'est plus qu'une impression vague, c'est physique. Quand elle y pense, elle est de plus en plus perturbée. Elle se tourne sur le dos et repousse la couverture, elle a chaud. Tout contre sa main, il lui semble qu'elle touche encore celle du vieil homme.

Après sa visite quotidienne à Antoine, elle est allée prendre des nouvelles de monsieur Marcel. Il était immobile, allongé sur son lit. Il n'a même pas ouvert les yeux quand elle lui a parlé. Mais il ne dormait pas, elle en est certaine. Sa respiration résonnait comme un râlement rauque. Alors, elle a posé sa main sur la sienne, qui était inerte sur le drap. Elle n'a vraiment pas aimé ça. La peau du vieillard était froide, mince comme du papier de soie, et lui semblait fragile. Elle avait l'impression que ses os flottaient sous la peau. De peur de lui faire mal, elle a retiré sa main et l'a déposée un peu plus loin sur le drap. C'est lui qui a bougé, c'est lui qui a glissé sa main décharnée vers celle de la jeune fille. Il la touchait à peine du bout des doigts.

Sonia n'a plus osé reculer. Il avait tellement l'air d'apprécier ce faible contact avec la vie et la santé. Maintenant, elle se dit qu'elle aurait dû remettre sa main sur la sienne, mais cette après-midi, elle n'en a pas eu le courage. Elle doit bien admettre qu'elle a eu un certain dédain de l'homme ou plus précisément de la maladie de l'homme.

Elle essaie de chasser le mot qui lui monte à l'esprit. Lâche! Sonia, tu as été lâche! Elle retient ses larmes en se disant que ce n'est pas vrai, pas complètement vrai. Demain, elle se reprendra. Elle ira voir monsieur Marcel, elle lui parlera, lui tiendra la main… Sur cette rassurante pensée, elle se relaxe et se laisse envahir par la fatigue. Avant de sombrer dans le sommeil, une image passe dans sa tête: Antoine, seul à l'hôpital, malade, faible et aussi maigre que le vieil homme.

7

Confidences

Sonia voudrait bien parler à Caro, seule à seule, mais celle-ci ne décolle pas de son beau Charles. D'ailleurs, ils sont tous en admiration devant lui! Alice, Geneviève et Luiggi. Il n'y a que Ben et Pierre-Luc qui ne sont pas là. Sonia, qui a mal dormi, se montre marabout et presque désagréable. Puisqu'il lui est impossible d'attirer l'attention de Caro, elle décide de laisser le groupe à ses bavardages anodins et d'aller faire un tour à l'amphithéâtre.

Elle grimpe quelques marches de l'escalier menant au deuxième étage et entend une voix qui l'appelle derrière elle. En se retournant, elle aperçoit son frère au pied de l'escalier.

— Sonia! J'ai deux mots à te dire.

Elle redescend jusqu'à la deuxième marche. À cet endroit, elle est juste un peu plus grande que lui, ce qui lui permet de se sentir légèrement supérieure.

— Qu'est-ce que je peux faire pour toi, frérot de mon cœur? lui lance-t-elle en se forçant à sourire.

— Je veux juste te dire que je m'en vais à la maison. Je ne me sens pas tellement bien et je ne pourrai pas aller à l'hôpital. Je compte sur toi pour rendre visite à Antoine. Il a bien besoin de quelqu'un pour le distraire.

— Qu'est-ce que tu as?

— Je ne sais pas. Un peu mal à la gorge et j'ai froid. Au secrétariat, quand je leur ai dit que je voulais partir pour l'après-midi, ils ont insisté pour prendre ma température. J'ai un peu de fièvre, ça me donne la permission de sauter mes cours. Ce qui m'embête, c'est qu'à cause de leurs règlements de fous, ils ont dérangé maman au travail. «Il fallait bien la prévenir», qu'ils ont dit. Ça aurait pu attendre à ce soir. Enfin, salut!

Avant qu'il s'éloigne, Sonia l'agrippe par le revers de son blouson de cuir et l'embrasse sur le front en lui susurrant de prendre bien soin de lui. Marco la repousse et s'essuie de la main. Il la quitte en grommelant:

— Tu ne peux jamais être sérieuse.

Il sait bien que sa jeune sœur ne l'a embrassé que pour le taquiner. Ce qu'il ignore, c'est qu'elle est vraiment inquiète pour lui. Elle l'a trouvé brûlant, ce n'est pas seulement un peu de fièvre qu'il a. Et ses yeux sont petits, cernés, ternes, lui qui a toujours les yeux clairs et vifs. Et il est bien pâle. Elle regrette que Caro ne soit pas avec elle, ça l'aurait soulagée de lui parler de ses inquiétudes. Elle remonte lentement vers le deuxième étage.

Comme d'habitude, l'amphithéâtre est vide et la porte n'est pas verrouillée. Elle remarque que le grand local est séparé en deux par le mur amovible en accordéon. Elle s'assoit sur un côté de l'estrade et mange son lunch, en solitaire.

Ayant toujours aimé le son de sa voix qui se répercute comme un écho entre les murs vides, elle dit à haute voix:

— Sonia, alias Merline.

Ça lui plaît. Elle continue:

— Caro, l'aveugle, tombe en pâmoison devant Charles le zouave.

Un petit rire étouffé la fait sursauter. L'oreille tendue, elle cherche d'où provient ce bruit. Elle ne voit personne. Inquiète, elle demande:

— Qui est là? Sortez de votre cachette! Ce n'est pas drôle d'espionner les gens.

Le mur central s'agite un peu et s'ouvre en une mince fente en son milieu. La tête mi-amusée, mi-gênée de Ben apparaît.

— C'est seulement moi, je ne voulais pas te surprendre, explique-t-il en guise d'excuse.

— Qu'est-ce que tu fais là? s'écrie Sonia d'un ton courroucé.

Elle est convaincue qu'il l'a fait exprès de se cacher derrière le mur.

— J'étais ici avant que tu arrives. C'est super cool comme endroit pour passer le temps. Tu m'as fait peur, je pensais que c'était un prof qui arrivait. Alors, je me suis caché de l'autre côté. C'est super la division, hein?

— Oui, ça permet aux écornifleurs de passer inaperçus!

— Tu es bien malcommode! Je ne le savais pas que tu viendrais ici, moi! Tu es plate en super! bougonne l'adolescent. Tanné, moi! Super crétin, cette école-là! Quand ce ne sont pas les profs qui te critiquent, ce sont les autres élèves qui te tombent sur la tomate.

La mine renfrognée, il se dirige vers la sortie. Sonia se sent coupable. C'est vrai que tout le monde est toujours sur le dos de Ben. Il n'est pourtant pas méchant, seulement un peu trop exubérant. N'écoutant que son bon cœur, elle lui dit donc:

— Tu n'es pas obligé de partir. C'est la surprise de te voir ici qui m'a fait réagir comme ça. J'étais convaincue d'être toute seule. Veux-tu un morceau de fromage? J'en ai trop et je n'ai plus tellement faim.

À pas lents, il revient vers la jeune fille. Il avale deux pointes de fromage avant de parler:

— Super, ton cheddar! L'endroit aussi est super! Tu viens souvent?

— Des fois! Quand je veux avoir la paix.

Ben, qui se tient debout à côté de l'estrade, près de l'endroit où Sonia est assise, la regarde droit dans les yeux et demande :

— Pourquoi veux-tu avoir la paix ?

Étonnée par cette question, elle ne sait pas quoi répondre. Il poursuit, pour l'encourager :

— Oui, pourquoi tiens-tu tellement à rester toute seule, loin du monde ? Tu es une super fille, super intelligente. Tu n'as pas besoin de te cacher des autres.

— Et toi ? Pourquoi es-tu ici ? dit-elle pour éviter de répondre.

— Bof ! Quand je trouve le reste du monde super con, j'essaie de m'éloigner. C'est moins pénible.

Sonia va de surprise en surprise. C'est lui, Ben Super-sans-tête, qui traite les autres de cons, lui dont tout le monde rit en le traitant de simplet ! Elle réalise alors qu'on se trompe peut-être sur son compte. C'est un peu comme si un miroir lui renvoyait une image différente de la réalité. Ben aussi peut porter un jugement désagréable sur son entourage. Elle se décide enfin à répondre :

— Je n'avais plus envie d'entendre les niaiseries de Charles, de Caro et des autres.

— On est sur la même longueur d'onde. Super ! fait-il en souriant. Tu vas rire, mais des fois je me demande à quoi ça pense, une fille toute seule ?

Sonia ne rit pas, la question lui semble au contraire très sérieuse.

— Je ne sais pas à quoi pensent les autres filles, mais moi, en ce moment, je m'inquiète pour des gens que je connais et qui sont malades. Pas des petites maladies, mais quelque chose de grave. Et puis, je m'invente des histoires impossibles avec des princes, des sorcières, des histoires qui finissent toujours bien. Et un gars tout seul, ça pense à quoi?

— À la solitude, au fait qu'il est super rien pour la plupart des gens. Que c'est super tannant d'être l'idiot de service seulement pour que les autres se sentent supérieurs.

Sa voix est mal assurée et son sourire s'est estompé. Pour cacher son malaise, il la salue et quitte précipitamment l'amphithéâtre. Sonia, abasourdie, le laisse partir sans rien dire. Elle ne comprend pas, elle ne se comprend pas. S'il était resté plus longtemps, elle lui aurait tout raconté, la maladie d'Antoine, celle de monsieur Marcel, sa vive inquiétude à leur sujet. Comment pouvait-elle être prête à se confier à un garçon à qui elle ne parle presque jamais? Qu'elle a toujours un peu méprisé, pas ouvertement, mais en cherchant le plus possible à l'éviter? Et lui aussi, il semblait au bord des confidences. Ne vient-il pas de lui avouer à quel point il se sent seul, incompris et triste?

Elle soupire et secoue vivement la tête. Elle a autre chose à faire que de jongler avec toutes ces idées. Vivement la fin des cours, qu'elle puisse quitter l'école!

Sonia avance à pas feutrés dans le long corridor. En s'arrêtant devant la porte, elle se dit qu'aujourd'hui elle ne sera pas lâche. Elle se force à sourire pour bien se pénétrer de son courage. Dans la chambre de monsieur Marcel, une surprise l'attend. Le lit est défait, il n'y a plus aucun drap. Seule une toile cirée recouvre le matelas. Aucune trace des équipements médicaux qui entouraient le vieil homme, hier. La table de chevet est vide, ainsi que le placard qui est grand ouvert.

Sonia retourne dans le couloir, la tête pleine de questions. Où est passé monsieur Marcel? Est-il sorti de l'hôpital? Est-il guéri? S'il en est ainsi, elle ne le reverra probablement jamais, puisqu'elle ignore où il habite.

Elle est à la fois déçue et soulagée à cette idée. Ça la rassure de penser qu'il va mieux. Elle entre dans la chambre d'Antoine, mais il n'y est pas. Le drap est maladroitement rabattu sur l'oreiller, les manettes du jeu Nintendo traînent sur le lit et les vêtements de l'adolescent sont sur la chaise. Où peut-il bien trotter?

Dans le couloir, il n'y a personne. Elle se rend jusqu'au poste des infirmières et y trouve celle qui a des traits asiatiques et Louise, toutes deux occupées à remplir des rapports. Sonia frappe trois petits coups sur le cadre de porte. Les deux jeunes femmes lèvent la tête vers elle.

— Qu'est-ce qu'on peut faire pour toi? s'informe Louise.

— Je voulais rendre visite à Antoine Trottier, mais il n'y a personne dans sa chambre. Savez-vous où il est?

— Désolée, mais tu ne pourras pas voir Antoine. Pas pour l'instant du moins! Il est parti au premier étage pour des radios et des tests. Ça risque d'être assez long et en remontant, il aura besoin de se reposer. Tu devrais revenir demain.

— D'accord, merci, dit la jeune fille en pensant que son frère n'a rien manqué.

Elle fait un geste pour partir, mais la deuxième infirmière la retient par une question.

— Est-ce bien toi qui t'appelles Sonia et qui rendais parfois visite à monsieur Marcel?

— Oui, pourquoi?

— Eh bien…

La femme prend un livre dans un tiroir et s'approche de Sonia qu'elle entraîne doucement dans le corridor.

— Ton vieil ami, commence-t-elle en choisissant soigneusement ses mots, ne se sentait pas très bien. Il était vraiment très, très malade. Sais-tu de quoi il souffrait?

— Non, répond Sonia inquiète d'entendre parler au passé de monsieur Marcel.

— C'était un cancer généralisé. C'était vraiment grave. La médecine ne pouvait plus le guérir, seulement l'empêcher d'avoir trop mal. Il y a deux jours, il m'a demandé d'écrire un message pour toi. Il m'a prévenue que je ne devais te le donner que lorsqu'il serait mort. Ce livre aussi, il voulait t'en faire cadeau. La lettre est à l'intérieur. Voilà!

Sonia prend le livre dans ses mains et le retourne plusieurs fois sans parvenir à en lire le titre, car elle a les yeux pleins de larmes. C'est donc pour cela que sa chambre est vide. On nettoie le lit en prévision d'un nouveau patient. Sonia fait un effort pour refouler la boule qui lui blesse la gorge et murmure d'une voix étouffée :

— Comment…?

— C'est arrivé ce matin, vers dix heures. Il était très calme et détendu. Il ne souffre plus maintenant.

La garde lui serre la main et lui souhaite bon courage, puis elle retourne à son travail. Sonia s'éloigne lentement. Elle entre dans la chambre vide du vieil homme et s'assoit sur la chaise. Elle s'essuie les yeux et regarde avec attention son cadeau. Il s'agit d'un vieux livre à couverture rigide, une très vieille édition du roman pour enfants *Alice au pays des Merveilles*. Elle n'a jamais lu ce livre mais, comme la plupart des gens, elle en connaît les grandes lignes. Monsieur Marcel la jugeait plus jeune qu'elle ne l'est pour lui offrir un livre d'enfant. Malgré elle, Sonia est un peu déçue par ce choix. Elle le feuillette vivement et une enveloppe en tombe. C'est la lettre écrite par l'infirmière sous la dictée du vieillard. Elle l'ouvre sans attendre.

Chère mademoiselle Sonia,

Je vous ai dit que vous m'aviez fait une grande joie en me racontant votre histoire, permettez-moi de vous le répéter. Dans mon état, peu de choses peuvent encore me procurer un certain plaisir. Votre gentillesse fait partie de ces petites joies.

Je me suis longuement demandé ce qui pourrait plaire à une jeune fille à l'imagination aussi vive et prolifique. Et je crois avoir trouvé. Si Hergé a su créer un personnage qui s'adressait aux jeunes de sept à soixante-dix-sept ans, Lewis Carroll l'avait déjà fait au siècle précédent avec sa jeune Alice. N'ayez aucune honte à vous plonger dans ce merveilleux conte poétique où l'auteur a, peut-être, cherché à dénoncer par la satire l'illogisme d'un monde paradoxalement basé sur la logique.

Comme vous pourrez le constater, ce livre, je l'ai déjà lu à maintes reprises. Faites-en autant et j'espère qu'il vous apportera autant de réconfort qu'à moi.

Cela peut vous sembler une formule usée et inutilement romanesque, mais il est vrai que lorsque vous lirez ces lignes, je serai déjà mort. Mort et soulagé de l'être. Vous savez comme moi que tout le monde y passe, même si vous n'y avez pas encore vraiment songé, vu votre jeune âge. Alors, ne me regrettez pas trop. Continuez à être telle que vous êtes et aidez votre ami à passer à travers cette étape nécessaire de la vie à trépas, par votre présence chaleureuse.

Je sais qu'une unité de mourants n'est pas un endroit réjouissant, alors je vous en remercie d'autant plus.

Je me permets de signer votre ex-ami,

Monsieur Marcel

C

Sonia entre brusquement dans la cuisine. Essoufflée par sa longue course depuis l'hôpital, elle respire vivement entre ses sanglots. À travers ses larmes, elle voit sa mère, près de la cuisinière, qui se tourne vers elle et lui tend les bras. La jeune fille s'y précipite en s'écriant:

— Non! Non! Je ne veux pas qu'il meure. Non! Pas lui, pas lui!

8

Toute la vérité

Heureusement que sa mère est là pour accueillir Sonia. Inquiète pour Marco, Sylvie Pelletier a quitté son travail plus tôt. Après avoir veillé sur sa santé, elle a eu une longue discussion avec son fils. Il lui a tout dit sur Antoine. Sonia n'a pas été témoin du choc que cette nouvelle a provoqué chez sa mère. Elle était atterrée. Antoine! Le jeune garçon qu'elle a pratiquement élevé. Il mangeait plus souvent chez elle que chez son père. C'est elle qui l'aidait le soir pour ses travaux scolaires. Il arrivait même assez souvent au jeune garçon de passer la nuit, couché sur de gros coussins dans la chambre de Marco.

Après son incrédulité du premier moment, elle a fait face à la situation. Elle a pensé à sa fille et à son fils. Ils auront besoin d'elle pour surmonter cette épreuve. Et c'est ainsi que Sonia la trouve à son arrivée, refoulant son propre chagrin pour soutenir ses jeunes. La jeune fille peut pleurer autant qu'elle en a besoin. Elle peut exprimer sa rage contre l'injustice de la maladie d'Antoine. Elle parle même de la mort récente de monsieur Marcel. Puis, une question folle surgit dans sa tête.

— Mais… mais Marco ne va pas bien! Maman, tu ne penses pas qu'il aurait pu attraper le sida d'Antoine?

Assise près d'elle à la table de la cuisine, Sylvie prend les mains de sa fille dans les siennes pour lui expliquer:

— Le sida est contagieux, mais de deux façons seulement. Pour que Marco l'attrape, il aurait fallu qu'il ait eu des relations sexuelles avec Antoine. Et je ne crois pas que ce soit le cas, ajoute-t-elle en souriant faiblement.

Sonia hoche la tête en signe d'approbation. D'après ce qu'elle connaît des amours de son frère, elle imagine difficilement ce genre de relation entre lui et Antoine.

— Évidemment, poursuit sa mère, il n'est pas à l'abri s'il fait l'amour avec une jeune fille. Mais Marco m'a assuré qu'il prenait ses précautions, il a une boîte de condoms dans sa chambre.

— Tu crois qu'il a déjà fait…! s'exclame Sonia avec des yeux ronds.

— Ça, c'est son secret à lui. Sa vie amoureuse est son domaine privé, pourvu qu'il fasse attention. Compris?

— Oui. Et la deuxième façon, c'est comment?

— Par un échange de seringue entre deux drogués qui se piquent. De ce côté-là, je ne pense pas non plus avoir à m'inquiéter. Enfin, je l'espère, ajoute-t-elle à voix basse.

— Marco? Se droguer? J'en doute, je n'ai jamais vu un gars plus *straight* à la polyvalente. Tout se sait à l'école! S'il se tenait avec des drogués, je serais au courant.

Sylvie passe sa main sur les cheveux de Sonia. Pour la protéger. Pour chasser ses idées noires. Mais la jeune fille est encore inquiète et profondément troublée.

— Il n'y a vraiment aucun autre moyen de l'attraper? Je ne sais pas moi, en serrant une main? En embrassant quelqu'un?

— En médecine, il n'y a pas de certitude absolue, mais jusqu'à présent, jamais personne n'a contracté la maladie de ces façons-là. Le virus n'est contagieux que dans les sécrétions sexuelles ou dans le sang, qui est maintenant contrôlé en laboratoire avant les transfusions. Il n'y a pas de danger avec les larmes, la sueur ou la salive. Le virus du sida ne vit pas très longtemps quand il n'est pas dans un bon milieu. C'est plutôt contradictoire. Il s'agit d'un virus qui meurt rapidement quand il est en dehors de notre système, mais qui a la vie dure à l'intérieur.

— Alors, Marco n'a rien de grave?

— Il a probablement une bonne grippe. Et ça, il a pu l'attraper n'importe où, en tournant une poignée de porte ou en se tenant à une rampe d'escalier. C'est souvent par les mains que les rhumes et les grippes s'attrapent. J'ai déjà pris rendez-vous chez le médecin. On va bien le soigner, ton grand frère!

— Lui, oui! Mais Antoine?

Sa mère ne répond rien. Que pourrait-elle dire? Après l'avoir embrassée, elle retourne à son souper, la gorge nouée par son impuissance face à la mort certaine du jeune homme.

Sonia s'étonne de se sentir aussi étrangement calme. Cependant, lorsque sa mère et son frère seront partis pour la clinique, elle sait qu'elle tournera en rond dans la maison. Elle sera incapable de penser à autre chose.

Comme elle s'en veut de n'avoir pas su écouter Antoine! Depuis le début, il lui a dit qu'il allait mourir et elle a toujours nié cette évidence. Elle s'était dit qu'il se trompait, que les médecins s'étaient trompés dans leur diagnostic, mais c'était elle qui était dans l'erreur en ne voulant pas admettre la vérité.

Elle n'a qu'une seule excuse: c'est si dur à accepter!

Assise sur le panier à linge dans la salle de bains, elle s'éponge le visage avec une débarbouillette d'eau fraîche. En se tournant vers le miroir, elle voit ses yeux rougis qui contrastent avec son teint blême. Les coins de ses lèvres retombent tristement.

9

Tendre amitié

C'est la troisième fois que Sonia sèche un cours. Elle a hésité durant tout l'avant-midi avant de se décider à se rendre à l'hôpital. Comment va-t-elle pouvoir garder une attitude réconfortante envers son ami? Tout au long du chemin, elle imagine plusieurs scénarios.

Quand elle entre dans la chambre d'Antoine, elle n'est pas certaine de bien agir. Est-ce vraiment sa place? Si elle pouvait se cacher dans un trou de souris, elle le ferait.

— Salut, p'tit singe, dit Antoine d'une voix lente. Il paraît que tu es venue ici pour rien, l'autre jour.

— Ce n'est pas grave, ça m'a fait faire un peu d'exercice, dit-elle avec un sourire forcé.

— Pas grave! Pas grave! ricane-t-il en répétant ces deux mots. Pas grave! Pas grave! Il n'y a jamais rien de grave, avec toi! Hein, p'tit singe?

Intimidée pas cet accueil bizarre et agressif, la jeune fille ne sait quoi répondre. Elle se contente donc de hausser les épaules et de l'approuver. Cela déclenche une autre série de rires mauvais.

— P'tit singe! Je n'ai jamais si bien fait en te surnommant ainsi. Tu es juste comme les autres, en pire peut-être. Un vrai singe!

— Qu'est-ce qui te prend? Tu dis n'importe quoi! rétorque-t-elle.

— Ça fait ton affaire, ça fait l'affaire de tout le monde de croire que je dis n'importe quoi! Comme le premier singe, celui qui se bouche les oreilles.

— Quoi?

— Oui! Les trois petits singes! Ça ne te dit rien? Le premier ne veut rien entendre et il se bouche les oreilles. Le deuxième ne veut rien voir et il ferme les yeux. Le troisième préfère ne parler de rien et il met une main sur sa bouche. C'est la voie de la sagesse, paraît-il.

Il parle avec hargne, les dents serrées. Avec ses lèvres méchamment retroussées, Sonia trouve qu'il ressemble à un bouledogue prêt à mordre.

— Ce n'est pas vrai, se défend-elle. Je ne suis pas comme ça!

— Oh! Non! Alors, pourquoi tout ce cirque? Les décorations sur les murs? Le jeu Nintendo? La musique? Si ce n'est pas pour cacher la vérité. La vérité trop cruelle pour la regarder en face.

Avoue, avoue que tu as tout fait pour passer à côté. Avoue!

Ses yeux sont durs, secs et ses traits contractés expriment la rage. Sonia sent deux larmes chaudes qui lui coulent jusque dans le cou. Elle nie vigoureusement, puis bafouille une explication avant de finalement dire :

— Oui... c'est vrai. Je n'étais pas capable. Je...

Elle est tout près du lit. D'un geste vif, Antoine lui empoigne un bras et la secoue violemment au rythme de ses paroles.

— Alors, dis-le maintenant. Dis-le : je vais mourir. Répète, répète : Antoine va mourir!

La main de l'adolescent lui meurtrit la peau, la colère d'Antoine lui blesse le cœur et la vérité qu'il lui lance ainsi au visage la fait horriblement souffrir. C'est en sanglotant qu'elle répète la phrase.

Aussi subitement qu'il s'est mis en colère, il y met fin. Il réalise la cruauté dont il vient de faire preuve. D'une main tremblante, il cherche à essuyer les larmes sur les joues de la jeune fille. Puis, il l'attire tout contre lui et la serre dans ses bras, en l'appelant par son nom et en s'excusant à plusieurs reprises. Il lui caresse maladroitement la tête.

Elle ne dit rien et demeure immobile, son visage au creux de l'épaule d'Antoine. Elle a l'impression que son cœur se dégonfle lentement, que ça devient tout chaud dans sa poitrine. Les émotions se bousculent en elle. Sa peur s'efface devant son chagrin qui s'estompe lui aussi peu à peu pour faire place à une sensation nouvelle. C'est la première fois qu'un garçon la tient dans ses bras. Elle trouve ça bon. Elle se sent bien contre le corps maigre d'Antoine, semblable à un paquet d'os. Il pourrait tout aussi bien être difforme ou coupé en mille morceaux, ça lui est égal. Elle l'aime! Au fond d'elle-même, elle sait qu'elle l'aime depuis longtemps, mais quand on n'est qu'une fillette, on ne comprend pas ces choses-là.

C'est lui qui, d'un geste doux, l'éloigne de lui. Il tente de s'expliquer:

— Je n'avais pas le droit de te bousculer ainsi. Je ne sais pas ce qui me prend d'être désagréable comme ça. Mais il y a des fois... Ça m'horripile de voir les autres faire semblant que tout va bien, faire semblant que je vais guérir. Mais dans leurs yeux, je peux lire qu'il n'y a plus d'espoir. Je le vois clairement. J'ai l'impression que les gens me prennent pour un débile à qui on peut dire n'importe quoi. Ou pire: à qui on ne parle pas! C'est terrible de se sentir ballotté entre la vie et la mort. Je me surprends parfois à avoir hâte que ce soit fini.

— Je... je pense que je comprends, murmure-t-elle. Je ne sais pas vraiment ce que tu ressens parce que je ne le vis pas. Mais... quand je regarde en dedans de moi, je crois que je réussis à voir comment ça doit être.

Antoine se cale sur ses oreillers. Il soupire en disant:

— Oui, c'est probablement vrai que tu comprends. À ta manière, c'est-à-dire comme une personne qui en assiste une autre avec toutes les limites que ça comporte.

— Je voudrais bien faire davantage, souffle-t-elle.

— C'est déjà beaucoup, énorme même! Je fais mon malcommode, le chien qui grogne en apercevant quelqu'un. En réalité, j'ai terriblement besoin qu'on me rende visite. Quand je pique une colère, j'ai l'impression que je ne me contrôle pas. Je suis insupportable, quoi! ajoute-t-il en levant les bras et en souriant comme un enfant pris en défaut.

— Ce doit être parce que c'est dur à supporter.

Il la dévisage pendant quelques secondes avant de répliquer avec un sourire en coin:

— Sais-tu que plus je t'écoute parler, plus je trouve que tu n'es pas aussi folle que tu en as l'air.

— Oh! Antoine! s'écrie-t-elle, choquée. Tu parles comme Marco. Incapable de dire un mot gentil sans ajouter une insulte!

— Comme quoi? Donne-moi un exemple de ce que ton frère est capable d'inventer.

— Comme… comme… Tiens, l'autre jour, il a dit que plus tard je deviendrais une *esthéti-chienne*!

— J'espère que tu lui as répondu sur le même ton.

— Évidemment, je lui ai répliqué que je deviendrais vétérinaire pour le soigner quand il serait malade.

Elle réalise au même instant qu'elle vient de commettre un impair en parlant de maladie. Elle se mord les lèvres et s'excuse rapidement. À sa grande surprise, Antoine rigole.

— Ne t'excuse pas. Elle est bonne. D'ailleurs, j'ai toujours trouvé ça drôle de vous voir vous chicaner.

— Je le sais. Je me doute même que tu devais faire exprès pour les créer, ces fameuses chicanes. Heureusement, je l'aime bien, mon frère.

— Oui, moi aussi. C'est un *chum*, un vrai qui ne te laisse pas tomber. Toi aussi, je t'aime bien. C'est gentil à toi de me tenir compagnie et de me remonter le moral. Ça me fait du bien. J'espère seulement que tu ne te sens pas forcée de le faire.

Elle répond vivement, sans prendre le temps de réfléchir :

— Bien sûr que non ! Ça me fait plaisir d'être avec toi.

Trouvant que cela sonne comme un aveu, elle baisse subitement la tête et tortille un coin du drap entre ses doigts. Cette petite phrase, toute simple, crée un malaise entre les deux adolescents. Pour y couper court, Antoine prétexte qu'il a besoin de repos, ce qui n'est pas tout à fait faux. La jeune fille comprend qu'il est temps pour elle de partir. Obéissant à une impulsion subite, elle se penche vers lui et, d'un geste rapide, lui effleure à peine la bouche.

Antoine a un petit mouvement de recul. Surpris par l'audace de Sonia, il demande :

— Ça ne te fait pas peur?

— Quoi?

— Bien… de m'embrasser… à cause de ma maladie!

— Non, dit-elle en le regardant droit dans les yeux. Ma mère m'a expliqué et il n'y a pas de danger.

— Ta mère? Oui, je me rappelle, elle était douée pour donner des explications. Elle est donc au courant, à mon sujet.

Sonia acquiesce d'un mouvement de la tête et lui explique que Sylvie et elle ont eu une longue conversation à ce propos. Elle lui apprend aussi que sa mère a l'intention de lui rendre visite ce soir.

— Aucun problème, je ne sors pas ce soir, lance-t-il avec un sourire.

Puis reprenant un air sérieux, il ajoute:

— Si tu n'as pas peur, j'aimerais que tu m'embrasses encore… si tu le veux bien.

Elle sourit timidement et se rapproche de lui. Il lui prend doucement la tête entre les mains et pose ses lèvres sur sa bouche. Elle ferme les yeux et attend. Elle doit bien avouer qu'il a plus d'expérience qu'elle. Quand elle le quitte, tout est embrouillé dans sa tête. Le peu de temps qu'elle a passé dans sa chambre a été tellement chargé d'émotions intenses et diverses, qu'elle est surprise de constater qu'il est encore si tôt. Elle erre longtemps sans but dans les rues du Faubourg St-Rock, la tête et le cœur ailleurs.

10

Chagrin de père

Ce soir, en partant pour lui rendre une visite, Sylvie s'attendait bien à trouver Antoine changé, malade, mais jamais elle n'aurait cru qu'il serait dans un état aussi critique.

Quand elle entre dans sa chambre, c'est à peine si elle le reconnaît. Il lui semble que seuls ses grands yeux de faon sont demeurés les mêmes sous sa tignasse pâle. Il ose à peine la regarder et elle ne sait pas vraiment quoi dire pour lui exprimer son affection. Alors, elle décide de laisser parler les gestes.

Elle prend sa main dans la sienne et la serre avec douceur. Puis elle lui caresse les cheveux et l'embrasse sur le front, comme quand il était petit. Avec un sourire attristé, elle murmure :

— Je sais… enfin, je sais ce que Marco et Sonia ont bien voulu me dire. Alors, je suis venue pour t'offrir mon aide. J'aimerais pouvoir faire quelque chose pour toi. J'ignore ce dont tu as vraiment besoin, je l'avoue, mais je suis là. Et je serai présente autant qu'il le faudra, autant que tu le désireras. Voilà! Je voulais que tu le saches.

Antoine ne dit toujours rien, il en est incapable. Il s'agite nerveusement et retient fermement la main de la femme. Dans son for intérieur, il doit combattre son orgueil qui le pousse à rejeter toute proposition d'aide. Il veut se montrer indépendant, mais, plus sa maladie progresse, plus il sent qu'il a besoin des autres. C'est tellement humiliant et difficile à accepter! Pourtant, ça le rassure de pouvoir compter sur quelqu'un. Sonia et Marco ont l'amitié fidèle, néanmoins il réalise qu'ils sont jeunes et ne comblent pas tous ses désirs, pas celui d'avoir une mère à ses côtés.

Pour Antoine, Sylvie Pelletier a autrefois été une mère suppléante. Une suppléante efficace et dévouée, même si elle était rémunérée par son père. C'était un facteur suffisamment important aux yeux de l'enfant qu'il était pour ériger une barrière invisible entre elle et lui. Et aujourd'hui, elle est là, près de lui, à lui donner son temps, à lui proposer son aide et à lui faire cadeau de sa tendresse. Gratuitement! Sans rien demander en retour.

Antoine ne lui explique rien de tout cela, mais Sylvie le sent, confusément. Puisqu'elle le devine aussi malheureux, elle se contente de son silence. Il ne la repousse pas, bien au contraire, et pourtant, le pont qui les relie à ce moment-là est si fragile qu'elle craint de lui lâcher la main. C'est important pour lui de garder un contact physique.

Combien de temps se sont-ils tenus ainsi? Combien de temps avant que le charme ne soit rompu par l'arrivée subite de Paul Trottier? En entrant, il était si surpris de trouver son fils en compagnie de Sylvie qu'il a figé sur place. Un peu plus et il repartait en croyant s'être trompé de chambre.

La réaction est automatique, comme un ressort qui se brise et fait éclater un mécanisme: Sylvie et Antoine se lâchent la main. Entre eux s'installe la distance respectable qui doit être maintenue lorsque deux personnes n'ont aucun lien de parenté. Si Paul sent qu'il dérange, il n'en montre rien. Son droit de paternité lui permet de s'imposer. Enfin, c'est l'impression que Sylvie éprouve à ce moment-là. Puis, elle se dit qu'elle a tort de penser ainsi. Après tout, il est normal qu'un père s'inquiète pour son fils et lui rende visite régulièrement.

Paul aime Antoine, il est seulement maladroit dans ses attitudes affectueuses.

Après un long et pénible échange de banalités, Sylvie prend congé d'eux. Par politesse, Paul lui demande de l'attendre.

— Tu n'as toujours pas de voiture? Je vais aller te reconduire.

— D'accord, je descends en bas dans l'entrée, suggère-t-elle pour leur laisser quelques minutes d'intimité.

«Pourquoi ai-je accepté de l'attendre?» se demande-t-elle en faisant les cent pas dans le grand hall de l'hôpital. Elle n'a pas vraiment envie de bavarder avec lui. Avant qu'elle ait le temps de changer d'idée, il est déjà près d'elle et l'entraîne vers son auto. Puis, il lui propose de prendre un café dans un petit restaurant. Elle dit oui, car elle ne sait pas comment refuser sans le vexer.

Et là, à la lumière crue des lampes au néon, elle l'examine. Un peu plus de rides autour de ses yeux bleus, des touches de gris dans ses cheveux châtain pâle et même dans sa moustache, et sa taille qui a épaissi. Il lui faut se rendre à l'évidence, Paul Trottier a beaucoup vieilli depuis deux ans. Il doit lire dans ses pensées puisqu'il lui dit de but en blanc:

— Oui, je sais! J'ai pris un coup de vieux.

Il fait un geste de la main pour chasser ce qu'il vient de dire et demande:

— Comment se fait-il que tu étais à l'hôpital? Un hasard?

— Non, ce sont mes enfants qui m'ont prévenue.

— Tes enfants? Ils ont vu Antoine?

— Oui, et d'une manière assez régulière, assidue même, depuis quelque temps.

— Merde! s'exclame-t-il avec un mouvement de colère.

— J'apprécierais que tu sois moins grossier, fait-elle avant de boire avec précaution son café chaud.

Il se tait, baisse la tête, mais il tape du pied sous la table avec une rage contenue. Elle le connaît bien, pas le genre à parler beaucoup, franc, direct (un peu trop parfois) et autoritaire. Ça ne doit aider en rien les relations avec son fils.

— Comme ça, tu es au courant. Tes enfants aussi, j'imagine ?

— Nous ne savons que ce qu'Antoine a bien voulu nous dire.

— C'est… assez grave, ce qu'il a, reprend-il d'un ton adouci. Les médecins ne lui donnent plus beaucoup de temps.

— Oui, je sais.

— Ça paraît à ce point-là qu'il est mourant ?

— Un peu, mais c'est surtout parce qu'il en a parlé avec les enfants que je le sais.

— Quoi ? Com… comment peut-il avoir dit ça ? J'ai exigé des médecins qu'on ne l'avertisse pas. Pas tout de suite. Quand ça sera le temps, je le ferai !

— Mais tu prends Antoine pour un enfant de quel âge ? Ça fait longtemps qu'il n'est plus un bébé ! Il a des yeux pour voir et une intelligence pour analyser la situation. Il s'est rendu compte de la gravité de son état et il s'est renseigné par Marco qui lui a déniché toutes sortes de documents là-dessus. À son âge, on n'attend pas que papa ou maman nous explique les choses de la vie, on les découvre par soi-même.

— La belle affaire! Ça l'a amené où de vouloir se débrouiller seul? Directement dans les problèmes par-dessus la tête! S'il m'avait écouté au lieu d'aller à Toronto voir sa mère à tout prix, on n'en serait pas là, aujourd'hui.

— Toronto, Montréal, New York ou Tombouctou, c'est du pareil au même. Ce n'est pas une question d'endroit, mais de prudence. Ici ou là-bas, il avait les mêmes risques d'attraper ça.

— Mais ici, j'aurais pu le surveiller au moins.

— Veux-tu rire? Tu ne pouvais quand même pas lui mettre une laisse autour du cou et l'avoir à l'œil jour et nuit. Il arrive un moment où il faut leur faire confiance. Ce n'est pas facile, je le sais! Mais tu te croises les doigts, tu touches du bois, tu fais tes prières et tu espères que ce que tu leur as montré leur sera utile et qu'ils se serviront de leur tête avant d'agir. Après tout, on ne peut pas toujours leur tenir la main pour traverser la rue.

Avec un air de chien battu, il hoche la tête:

— Je comprends tout ça, mais je ne peux pas m'empêcher de me sentir coupable.

— Coupable de quoi?

— Antoine, c'est ma responsabilité. C'est mon fils, c'est à moi de veiller à ce qu'il ne lui arrive jamais rien de mal. Et j'ai échoué, j'ai dû commettre une erreur quelque part. Laquelle?

— Paul, tu n'as pas le droit de te culpabiliser ainsi. Tu te fais du tort inutilement et ça n'aide personne. Ni toi ni Antoine!

— Aider Antoine! Il est trop tard, maintenant. Je ne peux plus rien faire pour lui.

— Oui, il y a encore quelque chose. T'asseoir près de lui et lui dire que tu l'aimes. Le dire une fois, dix fois, vingt fois, s'il le faut.

— Et avoir l'air complètement ridicule!

— Non, ce n'est jamais ridicule quand ça vient du cœur.

— Il est déjà au courant, je suis son père.

— Ce n'est pas suffisant. Il faut le dire avec des mots, avec ses yeux, avec son cœur.

Paul détourne aussitôt la tête pour éviter le regard de Sylvie. Pour mieux capter son attention, Sylvie le prend par le bras et poursuit:

— Pourquoi penses-tu qu'Antoine recherche autant la compagnie de Sonia et Marco? Pourquoi? Tout simplement par besoin d'affection et d'amour. Je sais que tu l'aimes, ton fils, mais ça lui ferait du bien de se le faire dire. Surtout qu'après il sera trop tard!

Paul la dévisage, les mâchoires serrées. Dans ses traits, elle peut lire diverses émotions entremêlées: chagrin, amertume, rage et regret.

— À t'entendre, ça semble si simple. Ce que je voudrais, c'est revenir en arrière, effacer les deux dernières années et recommencer à neuf.

Sylvie essaie de lui expliquer que ce n'est pas si simple et que revenir en arrière, elle non plus n'a jamais pu. La mort subite de son mari lui a enseigné bien des choses, dont la plus importante: après la mort, il est toujours trop tard pour dire qu'on aime.

Il l'écoute silencieusement, incapable de répondre.

Il avale son café à petites gorgées, puis il la reconduit chez elle, en roulant lentement, sans se presser. Il aurait encore tant de choses à dire, mais il n'ose pas, il n'arrive pas à trouver les mots. Ce n'est que lorsqu'il stationne devant le logement de Sylvie, quand il éteint le moteur et quand la noirceur les enveloppe, qu'il réussit enfin à parler. Parler de son fils, prononcer le nom de sa maladie (chose qu'il n'a encore jamais faite), expliquer son désespoir. Et elle l'écoute, longtemps, sans voir passer l'heure. Juste avant qu'elle ne sorte de la voiture, il la remercie pour sa patience et surtout pour son conseil.

— Tu as raison, je n'ai jamais su dire à Antoine à quel point il est important pour moi. Mais je veux bien essayer.

Elle se contente de sourire tristement, puis il démarre. Sylvie referme sans bruit sa porte d'entrée et pousse le verrou. Elle est soulagée de constater que tout est silencieux dans la maison.

Un coup d'œil à sa montre lui indique qu'il est bien tard : minuit et quart ! Heureusement qu'elle ne travaille pas demain.

Elle enlève ses souliers et se frotte les pieds sur le tapis d'entrée. En poussant contre sa peau, les petites pointes en plastique lui procurent une agréable sensation de détente. Elle sourit en songeant à sa fille qui rit d'elle et de son tapis masseur.

Son côté mère poule reprend le dessus et c'est à pas de loup qu'elle va border ses enfants. Ils dorment déjà profondément. Elle souhaite qu'il en soit de même pour Antoine. Ses pensées reviennent constamment sur l'adolescent.

11

Des histoires
tristes et vraies

Sonia est tellement concentrée à résoudre un problème de mathématiques qu'elle ne réagit pas tout de suite. Pourtant, c'est bien son nom qui a grésillé dans l'intercomme. C'est bien elle qui est demandée impérativement au bureau de la directrice adjointe, madame Visvikis.

« Oh, non! songe-t-elle en comprenant ce qui lui arrive. Je vais me faire zigouiller par la Vis-qui-visse. »

Les regards de la majorité des élèves de sa classe sont tournés vers elle. Pourquoi une fille aussi tranquille que Sonia est-elle appelée à se présenter devant la redoutable adjointe? Qu'a-t-elle bien pu faire de si terrible? Si eux ne comprennent pas, il en va autrement de la principale concernée. Elle devine que ses absences non motivées vont lui attirer les foudres de la direction. Que va-t-elle bien pouvoir dire pour se disculper?

Elle se lève lentement, ramasse toutes ses affaires et, sans se retourner, marche vers la porte. Au passage, Ben lui chuchote:

— Bon courage!

Elle esquisse un vague sourire et sort de la classe. Tandis qu'elle parcourt les couloirs et les escaliers déserts, son cœur bat la chamade. De toute sa vie, jamais elle n'a été grondée par un directeur. Elle s'est toujours comportée en élève modèle et n'a toujours mérité que des félicitations. Mais aujourd'hui, il en va autrement. Elle est fautive et elle en est bien consciente. Aussi, c'est d'une main tremblante qu'elle ouvre la porte du bureau de madame Visvikis.

— Sonia Pelletier? s'informe aussitôt l'imposante femme assise derrière un bureau non moins imposant.

— Oui, madame.

— Assieds-toi!

Le ton est sec et sans réplique. Intimidée, Sonia obéit rapidement. La directrice adjointe garde les yeux rivés sur un dossier tout en commentant:

— Je vois que tu as d'excellentes notes en classe. À première vue, tu sembles une bonne élève. Les commentaires de tes professeurs sont dans l'ensemble positifs. Tu te comportes bien durant les cours. On ne dénote aucune impolitesse de ta part. Tes travaux sont remis à temps. On pourrait croire que tout est parfait. Alors, cela étant dit, à quoi riment tes petites escapades des dernières semaines? Où vas-tu te balader plutôt que de rester en classe?

Si le début du discours de madame Visvikis semblait rassurant, les deux dernières questions plongent Sonia dans l'embarras. Que peut-elle répondre à cela? Elle a beau chercher une excuse plausible, elle ne trouve rien. Pour une fois, sa vive imagination est prise en défaut. C'est le noir total dans son cerveau.

— Je répète, dit l'adjointe sur un ton ferme et en appuyant sur les mots. Où vas-tu te balader pendant les heures de classe?

Sonia se sent tellement oppressée qu'elle a l'impression que ses poumons se sont soudainement transformés en blocs de béton et qu'elle ne peut plus respirer.

— À l'hôpital, réussit-elle à prononcer péniblement.

Madame Visvikis se penche davantage au-dessus de son bureau et fixe intensément Sonia.

— De quoi souffres-tu?

La forte odeur du parfum de la femme fait un peu tourner la tête de la jeune fille. L'espace d'un instant, elle a envie de répondre qu'elle a mal au cœur, mais elle dit plutôt:

— De rien du tout, madame.

— Dans ce cas, pourquoi irais-tu à l'hôpital?

Sonia n'en peut plus. Toutes les émotions qu'elle refoulait au fond d'elle-même remontent à la surface. Tandis que des larmes roulent sur ses joues, elle s'écrie :

— Parce qu'il va mourir.

Madame Visvikis s'adosse sur sa chaise. Toute trace de courroux a disparu de son visage. Depuis près de trente ans qu'elle travaille auprès des jeunes, elle en a vu de toutes sortes, elle en a entendu des histoires, des vraies et des fausses, beaucoup de fausses, mais les cris du cœur comme celui-là ne sont pas monnaie courante. Elle se lève, contourne son bureau et se tire une chaise auprès de la petite. D'une voix calme et basse, elle la questionne. Entre ses sanglots, Sonia raconte. Elle n'a pas envie de mentir, elle n'a pas envie d'inventer. Elle ne désire qu'une chose, la guérison impossible d'Antoine. Et elle en parle en espérant que cela la soulagera de son chagrin. Elle en parle parce qu'une personne qu'elle connaît à peine l'écoute sans porter de jugement et lui montre de la sympathie.

C

Après le départ de la jeune élève, madame Visvikis demeure prostrée un long moment. Puis, réagissant vivement, elle vérifie l'heure. Il est tout près de midi. Elle quitte son bureau, espérant avoir le temps de lui parler avant le dîner. Elle n'a pas su trouver les mots pour réconforter la petite

Pelletier, mais lui saura peut-être, enfin si elle réussit à le convaincre. D'un pas assurée, elle se dirige vers l'Oasis, le local réservé à ceux qui doivent reprendre des cours ou des tests pour diverses raisons. En y entrant, elle sourit, car elle ne s'est pas trompée. Pierre-Luc est bien là.

C

En sortant du bureau de la directrice adjointe, Sonia cherche un coin tranquille où se réfugier. Puisqu'il ne reste qu'une dizaine de minutes avant le dîner, elle ne sent pas la nécessité de retourner en classe. Elle ne souhaite pas affronter les regards curieux de ses camarades. Elle préfère aller cacher ses yeux rougis. Elle désire encore moins bavarder avec Caro. Depuis une semaine, elle n'a échangé avec elle que de vagues paroles de politesse. Elle ne veut pas non plus retourner au local 029, car le projet du journal-souvenir ne la captive plus et elle n'a pas le cœur à rire des mauvaises plaisanteries du groupe. Il y a bien l'auditorium, mais elle craint d'y rencontrer Ben. Sans vraiment savoir pourquoi, elle cherche de plus en plus à l'éviter. Lui aussi, d'ailleurs. Elle a remarqué que depuis quelque temps, quand ils ont un cours ensemble, il s'assoit toujours le plus loin possible d'elle.

Dès que la cloche sonne, elle va chercher son lunch dans sa case et sort de l'école. Elle traverse le boulevard et emprunte la rue de l'Oasis qui la mène directement au parc du même nom. C'est déjà la mi-mai et le temps est superbe. Les doux arômes du printemps apaisent son âme. Elle s'assied sur un banc, les yeux fermés, le visage offert aux chauds rayons du soleil. Elle se sent revigorée. Pour un peu, elle dormirait là, sans s'inquiéter de l'avenir, sans s'inquiéter de la mort qui nous guette tous à un moment ou à un autre.

— Bonjour, Sonia.

Elle sursaute et ouvre des yeux étonnés. Quelqu'un l'a suivie jusqu'ici. Quelqu'un qu'elle connaît.

— Oh! Pierre-Luc! Je ne t'ai pas entendu arriver. Je... je trouvais qu'il faisait trop beau pour manger à l'intérieur, alors...

L'adolescent hoche la tête et demande :

— Est-ce que je peux m'asseoir près de toi?

— Bien sûr, les bancs du parc sont à tout le monde.

— Ça, je le sais. Ce que je demandais, c'est si ça ne te dérange pas d'avoir de la compagnie.

Sonia fronce les sourcils. À quoi Pierre-Luc veut-il en venir? Habituellement, il ne s'embarrasse pas de connaître son opinion avant de s'asseoir.

— Est-ce que j'ai l'air de fuir à ce point la compagnie des gens?

Pierre-Luc hausse les épaules.

— Je ne sais pas.

Visiblement, il est mal à l'aise, comme s'il cherchait la meilleure manière d'aborder un sujet qui le préoccupe. Puis, brusquement, il s'assoit.

— C'est vraiment une belle journée, dit-il en guise d'introduction.

Sonia est de plus en plus étonnée. Il n'est quand même pas là pour lui parler de la pluie et du beau temps. N'étant pas d'excellente humeur et n'ayant pas envie de perdre son temps, elle décide de l'aider et va droit au but.

— J'ignore ce que tu me veux, mais dis-le. Ça m'agace quand on tourne autour du pot.

— Comme si c'était facile à dire, marmonne-t-il d'abord pour lui-même. Bon, d'accord, je me lance. Mais je veux que tu saches que tu es la première personne de l'école à qui je me confie. Aussi je veux que tu me promettes de ne jamais en parler à personne, ni à Caro, ni à Ben, ni aux autres. Promets-le-moi ! Sinon, je m'en vais immédiatement.

L'indomptable curiosité de Sonia a été piquée au vif.

— Tu veux me confier un secret ! Mais pourquoi à moi ? Qu'est-ce que j'ai fait pour attirer tes confidences ?

— Ce n'est pas tant ce que tu as fait que ce que tu vis en ce moment. Et si ça ne tenait qu'à moi, je ne dirais rien. Mais je sais que tu passes une mauvaise période et que ce doit être pénible pour toi.

— De quoi est-ce que tu parles ? Qu'est-ce que tu sais de ma vie ?

Pierre-Luc respire profondément avant de répondre lentement, en pesant chacun de ses mots :

— Je te parle d'une maladie tellement grave que la plupart des gens ne savent pas comment se comporter quand ils se retrouvent face à elle.

Sonia ouvre la bouche, mais rien ne sort. Il lui aurait lancé un seau d'eau froide au visage qu'elle serait tout aussi éberluée.

— Oui, Sonia, je viens te parler de quelque chose que je ne connais que trop bien, le sida.

Un lourd silence s'installe entre eux. Comment peut-il savoir? Qui lui a dit qu'elle connaît une personne atteinte de cette horrible maladie? Seuls Marco, sa mère et…

— Madame Visvikis! C'est elle qui…

— Oui, elle m'a demandé de t'aider à mieux comprendre, de t'expliquer, parce que j'en sais très long sur le sujet, trop long même.

Sonia en veut à la directrice adjointe d'avoir trahi son secret. Elle n'avait pas le droit de le rapporter à qui que ce soit. D'un autre côté, elle ne doit pas avoir choisi Pierre-Luc pour rien.

— Connais-tu quelqu'un qui souffre du sida?

— Promets-moi d'abord de ne rien révéler à qui que ce soit!

— D'accord, c'est promis, accepte-t-elle, un peu agacée par son insistance. Je garderai ça pour moi.

Malgré cette promesse, il lui en coûte de lever le voile sur cet aspect de sa vie. Il hésite encore un instant, puis il se jette à l'eau. Après tout, si son histoire peut aider Sonia…

— Ma mère est morte du sida quand j'étais tout petit.

— Oh… je suis désolée pour toi.

Toute la colère de Sonia tombe d'un seul coup. Après tout, madame Visvikis a raison, Pierre-Luc peut la comprendre.

— Sonia, il faut que je te dise autre chose, reprend-il d'une voix mal assurée. Je… je suis né avec le sida.

Tout d'abord, elle ne saisit pas l'ampleur de cette révélation, puis elle écarquille les yeux.

— Tu veux dire que…

— Oui, je suis séropositif depuis ma naissance. Ma mère m'a transmis le virus durant sa grossesse.

Sonia a un léger mouvement de recul. Non pas qu'elle craigne que la maladie lui saute dessus. C'est plutôt une réaction de surprise. Sans vouloir paraître impolie, elle ne peut s'empêcher de l'examiner de la tête aux pieds. Se moque-t-il d'elle ou est-il sérieux?

— Comment peux-tu… enfin, tu es vivant. Je veux dire que tu as l'air en santé.

— Si tu savais la quantité de médicaments que je dois avaler et le nombre de fois que je me suis retrouvé à l'hôpital, tu ne me trouverais pas en aussi bonne santé. Mais je n'ai pas le droit de me plaindre, il y a pire que moi. On a commencé à me soigner avant même ma naissance et j'ai une bonne équipe de médecins pour veiller sur moi.

Durant un long moment, ni l'un ni l'autre ne parle. Dans la tête de Sonia, mille questions apparaissent. Elle essaie de comparer Antoine et Pierre-Luc. Pourquoi l'un semble bien portant, tandis que l'autre se meurt? Comment l'un a-t-il pu vivre quatorze ans, tandis que l'autre agonise aussi rapidement? Comme s'il avait pu lire dans ses pensées, Pierre-Luc explique:

— Chaque cas est différent. Cela dépend de ton système immunitaire, de la rapidité avec laquelle tu es diagnostiqué et soigné. Cela dépend aussi d'un tas d'autres facteurs que je ne connais pas. Je ne connais pas non plus le record de longévité des sidatiques, mais j'ai lu quelque part qu'il y a de plus en plus d'adolescents comme moi. Dire qu'à notre naissance, on ne nous donnait pas deux ans de survie!

— C'est horrible! Quelle enfance affreuse tu as dû vivre!

— Mais non, ce n'était pas si mal que ça. J'étais un enfant et je ne me rendais pas tout à fait compte de ce qui m'arrivait. Tandis qu'aujourd'hui, l'avenir m'effraie. Ce n'est pas tellement la mort qui m'inquiète. On peut la trouver dans un accident de voiture, dans une noyade ou autrement. Ce qui m'embête, c'est de ne pas avoir une vie normale. D'accord, je viens à l'école comme tout le monde ou presque. Je manque un peu plus souvent que la moyenne à cause de mes traitements, mais je peux me rattraper grâce à une entente avec la direction. De ce côté, ça va. C'est le domaine social, et surtout amoureux, qui accroche. Est-ce que tu me vois dire à une fille qui me plaît: «Salut, je veux sortir avec toi. En passant, je suis séropositif.»? Je l'imagine déjà se sauver en courant.

— Tout le monde ne réagit pas ainsi. On peut très bien aimer quelqu'un suffisamment pour passer par-dessus la maladie.

— Sauf que la maladie nous rattrape toujours. Cesse de rêver en couleurs, Sonia, un sidatique n'a pas une vie amoureuse normale. Il n'a pas le droit de cacher la vérité, et s'il la dit, il risque à coup sûr de perdre la personne qu'il aime. C'est fatal. Et puis, je ne pourrai jamais fonder une famille, avoir un enfant, ce serait trop risqué pour lui. Je ne voudrais pas lui faire vivre ce que je subis. Malgré les progrès de la médecine, on ne peut garantir à 100 % qu'un bébé né d'un sidatique n'aura rien. Et que ça me plaise ou non, cette maladie est mortelle. On n'a pas encore trouvé le remède miracle. Quand on a le sida, c'est jusqu'à la mort. On a comme l'impression de se promener sur une corde raide sans filet de sécurité. La première chute sera fatale.

Sonia n'a aucun argument pour réfuter ce qu'il vient de lui dire. Elle sait qu'il a raison. Silencieuse, elle baisse la tête. Pierre-Luc se lève.

— Allez, viens! Les cours vont bientôt reprendre. J'en manque déjà assez comme ça, sans faire exprès pour en rater davantage.

Elle le suit sans entrain. En passant près d'une poubelle, elle y jette son lunch. Ce midi, elle n'a pas très faim.

Ce soir-là, à la sortie des classes, Ben regarde Sonia s'éloigner par la rue du Ruisseau. Quand il ne la voit plus, il marche rapidement sur ses traces. En arrivant à la rue des Églantiers, il l'aperçoit de nouveau. Elle a traversé la rue et s'approche de l'hôpital. Encore! Ce n'est pas la première fois que l'adolescent la suit jusque-là. Il attend qu'elle y ait pénétré pour passer à pas lents devant le gros édifice. Il aimerait bien savoir pour qui la jolie Sonia est si triste, mais l'observation minutieuse de la façade en briques jaunes de l'hôpital ne lui fournit aucune réponse à cette question. Sans se presser, il rebrousse chemin.

Ignorant tout de cette filature, Sonia est montée à la chambre de son ami, Antoine. D'une visite à l'autre, elle trouve qu'il maigrit. Son état s'aggrave, c'est évident. Il ne mange presque plus et on doit suppléer à son manque de nourriture en lui donnant des solutés. Heureusement, les tubes en plastique n'impressionnent plus autant la jeune fille.

— Bonjour, mon beau p'tit singe, lui dit-il d'une voix douce et affectueuse.

Elle sourit et l'embrasse. Malgré sa maladie, elle lui trouve des yeux magnifiques : ils sont remplis d'amour. Elle fait rapidement le tour des potins du jour concernant sa mère, Marco et elle-même. Il écoute d'une oreille distraite et attend qu'elle se taise pour lui annoncer :

— J'ai un cadeau pour toi. Oui, oui, une espèce de cadeau, si on veut. Ça ne se mange pas, ça ne se touche pas, ça ne se voit pas. Pour l'obtenir, tu dois écouter bien sagement. Il s'agit d'une histoire que j'ai inventée pour toi. Je n'ai peut-être pas ton imagination, mais elle n'est pas mal, mon histoire.

— C'est gentil à toi. De quoi est-ce que ça parle?

Il rit un peu en la traitant de curieuse. Puis, commence ainsi:

— Il était une fois une maman, un papa et un petit garçon. Je sais, je sais, ça a l'air banal comme ça, mais la suite est plus originale. Le petit garçon s'appelait… Tony. Est-ce que ça te va comme nom?

— Excellent! De toute façon, c'est toi le maître de ton histoire.

— Parfait! Je continue. Le petit Tony vivait heureux avec papa et maman. Enfin, aussi heureux qu'on puisse l'être quand on a des parents qui ne s'entendent pas très bien. Si on avait demandé au petit Tony pourquoi ça ne marchait pas entre ses parents, il aurait répondu: *Fouille-moi!* Ce qui prouve que les enfants ne comprennent rien aux chicanes d'adultes. Enfin, là n'est pas la base de mon propos.

«Donc, pour être à la mode et pour faire comme tous les parents qui se disputent, papa et maman ont divorcé. Mais ce couple a quelque chose d'original, grâce à maman! Elle croit fermement que les hommes doivent se montrer modernes, responsables et prendre au sérieux leur rôle de père. C'est donc elle qui a quitté le foyer conjugal en laissant Tony à son cher papa. Il ne faudrait pas croire que c'était un abandon. Oh! Non! C'était un placement! Oui, oui, un placement pour l'avenir du jeune garçon. Ainsi élevé par son père, il deviendrait plus tard un homme bien. En attendant…

« En attendant, maman déménage. Elle part pour Toronto! C'est une belle ville, non? Et puis, maman a déjà fait une partie de ses études là-bas. Elle y connaît encore des gens qui l'aideront à se dénicher un bon emploi. Aussitôt dit, aussitôt fait! Et tout marche comme sur des roulettes. Tout va bien pour maman, un travail payant, de nouveaux amis, une vie fantastique, quoi! Une fois par semaine, elle fait sa bonne action avec un appel interurbain à fiston: *Est-ce que tu vas bien, mon petit chéri? Oui, maman s'ennuie beaucoup de toi.* Et tout le bla-bla habituel.

« Pour rompre la monotonie, elle fait un petit tour à Montréal à Noël, à Pâques, aux grandes vacances et à la fête de son fils. Alors, là, c'est une véritable fête! Les cadeaux et les gâteries pleuvent. Tous les désirs de l'enfant sont des ordres pour la mère qui ne manque pas d'argent, il faut bien l'avouer. L'amour s'achète à coup de sorties au restaurant, de spectacles et de tout ce que l'on peut imaginer d'intéressant quand on est petit. Pendant quelques jours par année, c'est la vie de pacha.

« Et après, quand elle repart, le jeune Tony a droit au petit train-train quotidien. L'école, les devoirs, papa qui fait des gros yeux quand la chambre est en désordre, les punitions pour les mauvais coups. Pour le petit Tony, c'est l'enfer après le paradis. Alors, dans la tête de l'enfant est née une drôle d'idée : maman m'aime plus que papa. Beaucoup plus ! Et c'est avec elle que je veux vivre.

« Il a tout fait pour y parvenir. Il a supplié son papa de le laisser partir pour Toronto, il l'a harcelé de questions sur les raisons de leur séparation, il lui a même sorti des arguments-chocs. Après tout, il avait vieilli, le jeune Tony, et il lui fallait penser à son avenir. Il a susurré à son père que, pour bien réussir dans cette partie du monde, on doit être parfaitement bilingue. L'endroit idéal pour y parvenir, n'est-ce pas Toronto ?

« Papa a fini par céder, mais pas de gaieté de cœur. Il a fait des arrangements avec son ex-femme et Tony est parti. Heureux ! Il était enfin débarrassé de son vieux père. Finie la routine ennuyeuse. La vie ne pouvait certainement pas être pire qu'avec son paternel. Seul, mais confortablement installé dans l'avion pour Toronto, il était convaincu de voler vers le bonheur suprême.

« En mettant les pieds dans cette ville anglophone, le jeune Tony avait quinze ans. Quinze ans et tout son avenir devant lui. »

Antoine se tait et soupire. Il connaît bien la suite de l'histoire, mais il a besoin d'un temps d'arrêt pour refaire ses forces, s'il veut poursuivre. Sonia ne sait vraiment pas quoi dire. Ce récit de la vie de son ami lui paraît pathétique et troublant. Ça ressemble à une confession, un aveu.

Néanmoins, si cela lui procure un certain bien-être de lui raconter tout cela, elle est prête à l'écouter jusqu'au bout. Elle lui tient la main et attend la suite.

— Tu vois, le problème, c'est que Tony avait tout imaginé sauf le *chum* de sa mère, son mec à elle. Un Anglais, 100 % pure laine. Non, la laine, c'est québécois, 100 % *pure plum-pudding* ou quelque chose du genre. Ça l'horripilait quand Tony parlait français avec sa mère. Il ne comprenait rien et croyait que le jeune garçon faisait des manigances. Alors, Tony ne faisait aucun effort pour parler anglais devant lui. Juste pour l'embêter. Il faut dire que le bonhomme était un peu *yuppie*. Tu sais ce que je veux dire : dans la quarantaine, un bon boulot, un beau condo, allergique aux enfants et aux animaux.

« Avec Tony, c'était la guerre. Il ne laisserait pas cet enfant maudit lui voler sa blonde ! Lui, il n'en voulait pas de ce gamin dans son foyer. Alors Tony, qui ne pouvait pas toujours supporter les disputes, sortait de plus en plus souvent le soir. Au diable les études et bonjour l'ennui. Il ne faut pas croire que, dans une ville qui t'est inconnue et où les gens n'utilisent pas la même langue que toi, tu sois le bienvenu. Loin de là ! Tony a bien songé à revenir auprès de son père. Mais ç'aurait été avouer un échec. Il avait son amour-propre, le jeune Tony.

« Et puis, un soir, à force d'errer un peu partout, il a rencontré une fille pas trop moche qui traînait avec elle une vie compliquée et remplie de problèmes. Une décrocheuse, un peu paumée, mais gentille et sympathique. Comment dit-on dans les livres? Une jeune fille pas trop farouche. Enfin, ce qui devait arriver arriva. Je passe sur les détails. Quatre mois, que cette petite aventure a duré. Quatre mois et un beau jour… Pffft! Disparue, la jeune fille.

« Tony ne l'a plus jamais revue. Il l'a cherchée un peu partout, mais personne n'a jamais pu lui dire où elle était. Pour être franc, Tony n'a pas eu une grosse, grosse peine. Son intérêt pour elle avait commencé à diminuer, mais il aurait bien voulu casser dans les formes.

« Enfin, il l'a oubliée et n'a trouvé personne pour la remplacer. Et c'est tant mieux, parce que, un peu plus tard, il affichait des signes de faiblesse. Oh! Rien de grave, mais les médecins ont cru qu'il avait peut-être une mononucléose ou de l'anémie ou que sais-je encore. Alors Tony a eu droit à une série d'examens médicaux et a dû répondre à des questionnaires longs comme le bras. Puis, il a subi toute une batterie de tests. Des tests qui portent des noms tellement bizarres qu'on utilise des lettres pour les nommer. C'est plus court, plus facile. »

Antoine rit doucement et, en regardant Sonia dans les yeux, il ajoute:

— Le plus comique, c'est le médecin qui lui a annoncé la grande nouvelle. Un médecin anglais, bien sûr, avec des cheveux blonds et une grosse moustache. En y repensant aujourd'hui, c'est vraiment drôle. Il lui a dit quelque chose qui ressemblait vaguement à: *Jeune homme, j'ai pour toi une bonne nouvelle et une mauvaise nouvelle. Laquelle veux-tu entendre en premier?* Tony a répondu: *La mauvaise, bien sûr!* La mauvaise... elle pouvait difficilement être pire. Bingo! C'est le sida. Évidemment, il a fallu mettre sa maman au courant. La crise! D'abord, elle jugeait cela impossible. Tony a changé de médecin, refait d'autres tests. L'horreur! Des semaines d'horreur. À espérer, à désespérer. Quand sa gentille maman s'est rendue à l'évidence, son mâle lui a lancé un ultimatum. C'était lui ou Tony qui devait sortir de la maison. Quel choix horrible! Mais c'est Tony qui a décidé. Il en avait plein son casque de cet endroit où il n'avait jamais réussi à se faire de vrais amis, où il se sentait terriblement seul. Alors, il est retourné de son plein gré chez son papa chéri.

— Et la bonne nouvelle du médecin, c'était quoi? l'interrompt Sonia.

— Ah! oui, j'allais l'oublier. Le docteur lui a annoncé que ç'aurait pu être pire. En se fiant à ce que le jeune Tony lui avait raconté de sa vie sociale (c'est-à-dire sexuelle), il n'avait contaminé personne d'autre. Et maintenant, il devait se considérer comme chanceux de connaître aussi rapidement la vérité sur son état. Ça lui permettrait de prendre ses précautions pour ses futures partenaires. Cela devait être une grande consolation pour lui.

— Tu parles d'une bonne nouvelle! s'écrie Sonia sur un ton qui n'a rien de joyeux. C'est ridicule de dire ça à un malade.

Antoine lui sourit avec tristesse et secoue lentement la tête:

— Il n'avait pas tort, le médecin de Tony. Sur le coup, ça a l'air idiot, mais en y réfléchissant… Ce n'est pas facile de penser qu'on va mourir, juste à cause d'une jouissance passagère. Mais ça soulage de savoir qu'on ne sera responsable de la mort de personne. En tout cas, moi, ça me fait du bien de penser ainsi. J'ai la conscience tranquille.

Sonia est troublée, elle n'avait jamais envisagé cette maladie sous cet angle. Si Antoine en souffre, ça ne lui est pas tombé du ciel. Évidemment, il a fallu qu'Antoine ait des relations avec une fille pour attraper le virus. Et cette fille en a eu avec d'autres garçons. Avant et après sa rencontre avec Antoine! Et ces garçons, ils ont couché avec d'autres filles qui à leur tour ont fréquenté d'autres garçons. Et ainsi de suite… Comme un arbre généalogique, un gigantesque arbre généalogique aux multiples embranchements dont le seul lien commun entre les divers éléments est un virus, un tout petit virus!

Antoine conclut ainsi:

— Et voilà comment le jeune Tony est revenu dans le quartier de son enfance, le Faubourg St-Rock, pour terminer ses jours auprès de ses anciens amis et de son père. Son pauvre père qu'il a négligé et qui pourtant l'aimait bien. Je me demande si son papa lui a pardonné d'être parti aussi loin ?

— J'en suis certaine, affirme Sonia.

Ce qui la rend si sûre d'elle, c'est ce que lui a dit sa mère l'autre jour. Sonia lui avait fait remarquer que le père d'Antoine le négligeait. Sylvie lui avait assuré qu'elle se trompait et elle lui avait raconté brièvement sa conversation avec Paul.

— Je l'espère, murmure Antoine d'une voix à peine audible. Si c'était vrai, ça m'aiderait à partir plus facilement…

— Le seul moyen de le savoir, c'est de le lui demander, suggère-t-elle.

Antoine ferme les yeux et se pelotonne sous ses draps avant de dire faiblement :

— Tu es gentille, Sonia. Je t'aime. Si ça ne te dérange pas, je vais faire un petit somme. Je me sens un peu fatigué.

— Il n'y a pas de problème ! J'ai bien aimé ton histoire.

Debout, près du lit, la jeune fille voudrait bien lui caresser les cheveux, mais elle n'ose pas de peur de le déranger. La respiration d'Antoine est calme. Maintenant qu'il s'est vidé le cœur en expliquant comment il en est arrivé là, il s'endort rapidement comme un enfant sur qui on veille. Sonia se promet de rester à côté de lui aussi longtemps qu'il en aura besoin.

12

Rideau!

Paul gare sa voiture devant la maison de Sylvie. La jeune femme en débarque, les bras chargés de divers objets. Paul l'aide en transportant le plus gros d'entre eux. C'est Sonia qui leur ouvre la porte, surprise de les voir ensemble.

— Bonjour, monsieur Trottier. As-tu besoin d'un coup de main, maman?

— Oui, tiens.

Sa mère lui tend son baladeur et des cassettes de jeu.

— Ce sont tes affaires. Antoine n'en a plus besoin. Il te fait dire merci.

Marco, attiré par le bruit des voix, prend le Nintendo des mains de Paul. Celui-ci, debout près de la porte d'entrée, s'apprête à partir. Sylvie l'invite à rester un moment, mais l'homme n'a visiblement pas le cœur aux mondanités. Après un bref salut aux adolescents, il retourne à sa voiture.

La porte n'est pas aussitôt fermée derrière lui que Sonia questionne sa mère :

— Pourquoi Antoine ne veut-il plus de tout cela ? Il n'est plus capable de s'en servir ? Son état a empiré ?

La jeune fille est visiblement inquiète. Son frère l'est tout autant, mais il ne dit pas un mot. Il s'occupe les mains en branchant de nouveau le jeu vidéo sur leur télévision.

— Réponds, maman. Qu'est-ce qui arrive à Antoine ? redemande Sonia.

Sa mère hésite, puis soupire avant de se décider à parler :

— C'est de plus en plus grave. Antoine approche de la fin.

— Non, gémit Sonia.

Un chagrin immense l'envahit, la laissant d'abord anéantie. Puis sur un ton plus énergique, elle reprend :

— Alors, il faut que j'aille à l'hôpital tout de suite. Je veux le voir, être près de lui.

— Non, Sonia, tu ne peux pas.

— Pourquoi ? Il a besoin de quelqu'un, de moi, de nous tous.

— Non, il n'a besoin ni de toi ni de ton frère. Il veut être seul.

— Ce n'est pas vrai, tu mens ! C'est un mensonge ! Tu dis ça seulement pour m'empêcher d'y aller. Parce que tu penses que je suis trop jeune pour aider quelqu'un, hein!

Sonia ressemble à une lionne prête à mordre n'importe qui pour défendre ses petits. Sylvie est découragée de l'attitude de sa fille, elle se tourne vers Marco pour y quêter de l'aide, mais ne rencontre que des yeux durs qui l'accusent davantage que les paroles de l'adolescente. Pour dominer la situation, elle prend une voix autoritaire:

— Assoyez-vous tous les deux sur le sofa et écoutez-moi. Je n'ai pas l'intention de vous retenir de force, vous en avez passé l'âge. Et c'est justement parce que vous êtes assez vieux que vous allez décider par vous-mêmes. Mais pour bien choisir, il faut bien savoir. Allez, assoyez-vous, je vais vous expliquer, continue-t-elle d'un ton plus calme.

Marco obéit le premier et invite sa sœur à le rejoindre. Elle hésite visiblement, ne voulant pas donner l'impression qu'elle cède à sa mère, puis se décide brusquement et se laisse lourdement tomber sur le sofa. Sylvie est soulagée, mais le pire reste à venir.

— Je sais que pour des gens en bonne santé et en pleine possession de tous leurs moyens, ce que je vais dire est difficile à comprendre. Alors essayez pour quelques instants de vous mettre dans la peau de quelqu'un qui souffre, qui souffre terriblement, et qui sait qu'il ne pourra jamais guérir. Quand cette personne arrive à la fin de sa vie, quand elle est vraiment tout près de la mort, il arrive assez souvent qu'elle voie ce pénible événement comme une délivrance.

Sylvie se tait pour remettre de l'ordre dans ses idées et pour laisser le temps à ses jeunes d'assimiler ce qu'elle vient d'énoncer. Marco la regarde droit dans les yeux pour demander :

— D'après toi, Antoine en est arrivé là ?

— Oui. Au point où il en est, il tente d'accepter cet inévitable aboutissement. Il doit d'abord essayer de se défaire de tout ce qu'il a aimé, de tout ce qui était important pour lui, de tout ce qu'il n'aura plus jamais. Et c'est ce qu'il cherche à faire maintenant, en vous demandant de ne plus aller le voir.

— C'est ridicule ! s'exclame Sonia. Quand on aime quelqu'un, on…

— Antoine t'aime et il aime Marco. Vous comptez énormément pour lui.

— Et alors, c'est comme ça qu'il le prouve !

— D'une certaine façon, oui, reprend Sylvie. Pour mourir, pour bien mourir, il faut renoncer à tout ce qui nous était cher. Et pour parvenir à accepter cela, il faut mettre de la distance entre ceux que l'on aime et soi-même. Alors, Antoine vous renvoie vos choses. De toute façon, il n'avait plus la force de les utiliser. C'est ça, je crois, qui lui a fait réaliser à quel point il est près de la fin. Antoine veut finir en beauté, avec dignité. Laissez-lui cette dernière satisfaction et dites-vous qu'il faut qu'il vous aime énormément pour agir ainsi.

Sonia pleure silencieusement et secoue mollement la tête. Marco se lève et disparaît dans sa chambre. Leur mère comprend leur chagrin. Elle s'approche de sa fille pour la consoler en premier. Son grand, elle ira le voir ensuite. Elle pose une main sur le genou de Sonia et cherche les mots qui l'apaiseront.

Avant même qu'elle ne parle, Marco revient près d'elles, un cadeau à la main. Il le dépose gauchement sur les jambes de sa sœur.

— C'est de la part d'Antoine, pour ta fête. Je sais, c'est seulement au mois de juin, mais comme il m'a dit… Enfin, il n'était pas certain de vivre jusque-là. Il n'y a pas de carte. Il était peut-être trop faible pour écrire.

— Quand t'a-t-il donné ça? demande la jeune fille.

— Hier soir, après ta visite. Ouvre-le, tu n'es pas obligée d'attendre au 10 juin. Vas-y!

Sonia tourne et retourne entre ses mains la petite boîte à l'emballage brillant. Elle se doute bien de quoi il s'agit. Lentement, elle déchire le papier. C'est bien ce qu'elle croyait : une boîte de préservatifs. Gauchement griffonnés à l'encre rouge, directement sur la boîte, quelques mots : *Dans l'espoir que ça te sauve la vie.*

Après un long silence, Sonia parvient enfin à dire :

— J'imagine que ce qu'il y a de mieux à faire, c'est de le laisser seul comme il le désire. N'est-ce pas?

Sans attendre la réponse, elle se lève et se précipite dans sa chambre.

Le plus discrètement possible, Sylvie repose le combiné sur l'appareil. L'horloge, pendue au mur de la cuisine, indique 5 h 15. Le soleil se lève à peine dans un ciel sans tache. Elle songe qu'il fait trop beau pour mourir et pourtant! Elle entend le plancher qui craque derrière elle. En se retournant, elle aperçoit Marco, appuyé dans le cadre de la porte.

Après un moment de silence, elle annonce enfin:

— C'était Paul. De l'hôpital…

Puis, elle se contente de hocher la tête, sa gorge est nouée par l'émotion et les mots ne sortent pas. Son fils comprend que, pour Antoine, c'est terminé. Alors, il s'approche de sa mère et l'enlace. Sylvie sent des larmes chaudes qui lui coulent sur les joues et glissent, plus froides, dans son cou.

Le bruit d'une porte qui se referme avec un faible claquement les prévient que Sonia est réveillée et qu'elle se doute bien de la raison de l'appel téléphonique. Elle aussi a besoin de consolation.

13

Pour ne pas oublier

Juin s'est finalement installé avec ses lilas qui parfument lourdement l'air, ses petites fleurs d'églantier qui décorent les abords des bâtiments publics et ses tulipes qui pointent timidement le bout de leur nez.

Malheureusement, juin, c'est aussi la pénible période des examens avant le début des vacances tant espérées. C'est à corps perdu que Marco s'est jeté dans ses études. Il désire, évidemment, bien réussir sa dernière année au secondaire, mais il a une raison plus impérieuse d'agir de la sorte. Oublier! Oublier que son grand copain, son meilleur ami est mort. Tant qu'il a l'esprit occupé, il n'y pense pas et c'est moins douloureux.

Sonia l'envie de pouvoir ainsi travailler. Elle n'a pas sa chance. Plus rien ne l'intéresse, ni l'école, ni ses amis, ni même son cahier noir aux histoires incroyables. Elle a tout mis de côté. Elle est obsédée par la fin d'Antoine. Elle y rêve la nuit et le jour. Elle cherche à donner un sens à la vie. Il n'y a qu'avec Pierre-Luc qu'elle discute parfois. Il tente de lui remonter le moral, mais tout la révolte : cette maladie absurde, son amour impossible pour Antoine et même la présence de la mère de celui-ci auprès de son fils au moment de sa mort. Pourquoi cette femme qui s'est toujours si peu préoccupée de lui avait-elle le droit d'être présente dans la chambre, tandis qu'on avait refusé à Sonia ce privilège ?

Tout lui semble injuste et ridicule. Pourtant Sylvie ne cesse de lui répéter qu'un jour elle comprendra. Plus tard, toujours plus tard, tandis que c'est maintenant qu'elle souffre ! Les cours, elle s'y présente parce qu'elle a promis à sa mère de le faire, mais elle y met le minimum d'efforts.

Assise dans le coin le plus reculé de l'amphithéâtre, elle écoute distraitement les présentations orales des autres élèves. C'est une exigence de Gaétan Lacombe et ça compte pour 15 % de la note finale en morale. Chacun doit tenter d'expliquer en quelques minutes en quoi cette première année au secondaire l'a transformé. Pour passer le temps, Sonia griffonne des gribouillis informes sur le brouillon de son exposé. Elle juge cela moins ennuyant que les balivernes de ses camarades de classe.

La plupart d'entre eux ne réalisent pas qu'ils ont pu changer en un an, et disent à peu près n'importe quoi. Le professeur tire au hasard le nom de Sonia. C'est à son tour d'aller radoter en avant. Quand elle passe à côté de Ben, celui-ci lui bloque le passage juste assez longtemps pour lui chuchoter :

— Tu n'es plus comme avant, tu dois en avoir beaucoup à dire !

Sonia pense un moment qu'il se moque d'elle, mais en le regardant dans les yeux, elle réalise qu'il est très sérieux. Elle a même l'impression d'y lire de la sollicitude. Elle se hâte vers l'estrade et y monte, puisqu'il le faut. Debout, au-dessus des autres, elle se campe fermement sur ses pieds, prend une grande respiration et cherche le début de son texte. Les quelques secondes que cela lui prend, elle voit des dizaines de paires d'yeux tournés en sa direction. Certains expriment de la curiosité, d'autres de l'indifférence. Le regard de monsieur Lacombe semble plein de bienveillance. Caro la fixe avec intérêt. Et Ben lui sourit gentiment.

Alors, c'est plus fort qu'elle. Sans vraiment comprendre pourquoi, elle a envie de dire à tous qu'elle, elle a changé. Que pour elle, la vie ne sera plus jamais la même. Elle oublie complètement le texte qu'elle avait préparé et se lance dans une tirade improvisée :

— Si on m'avait demandé de faire cet exposé, il y a deux mois, je n'aurais pas su quoi dire. Parce qu'à ce moment-là, je n'avais pas encore changé. Mais depuis, j'ai dû faire face à une vérité, à une expérience particulièrement pénible, cruelle même. Enfin, c'est comme ça que je l'ai vécue.

Elle reprend son souffle et se dit que maintenant qu'elle s'est jetée à l'eau, elle ne peut plus reculer. Ses mains sont froides et immobiles le long de son corps, et elle a l'impression que sa cage thoracique se resserre sur ses poumons. Pourtant, il faut qu'elle aille jusqu'au bout. Alors, elle reprend d'une voix faible :

— C'est quelque chose qui est arrivé à un ami, un ami d'enfance que j'aimais beaucoup. Je… je l'aime encore, mais il est mort.

Le silence chargé d'attention qui s'est peu à peu créé depuis le début de son exposé devient plus lourd et pèse sur les épaules de Sonia. Pour s'en libérer, elle doit parler, entendre le son de sa voix qui résonne à ses oreilles avant de se perdre dans le vaste amphithéâtre. Elle fixe un point imaginaire sur le mur du fond, pour ne pas avoir à regarder les réactions qu'elle provoque chez les élèves.

— Il y a différentes façons de mourir. Ça peut être très rapide, comme dans un accident, ou on peut être prévenu à l'avance dans le cas d'une maladie grave. D'une façon ou d'une autre, ça n'a rien d'intéressant, c'est toujours aussi terrible. Mais quand, en plus, on ajoute à cela la honte, ça devient comme un cauchemar. On se sent horriblement seul. On traîne son malheur sans pouvoir en parler à personne, on s'éloigne des autres pour ne pas avoir à révéler son secret.

«Quand je parle de honte, je veux parler de maladies honteuses, comme on disait dans l'ancien temps, sauf que ces maladies-là se soignent de nos jours. On n'en meurt plus, sauf de l'une d'entre elles, pire que toutes les autres. Elle est sans remède jusqu'à présent. C'est le sida.

«La première fois que j'en ai entendu parler, je n'y ai porté aucun intérêt. Pour moi, ce n'était qu'une maladie d'adultes, de gens qui vivent loin d'ici, en Afrique, aux États-Unis ou ailleurs. Je n'ai jamais cru que ça pouvait m'atteindre. Je me sentais sous un globe de verre, protégée, bien à l'abri de ce danger. Ma bulle de protection a éclaté, il y a quelques semaines. J'ai compris que j'étais une idiote. Enfin que j'avais été naïve de croire que ça n'arrive qu'aux autres.

«Mon ami est mort du sida. Je ne l'ai su que quelques jours avant. Et pourtant, ça faisait près d'un an et demi qu'il avait attrapé cet horrible virus. Il a passé un an et demi à souffrir en cachette! À souffrir dans son corps et dans son cœur! Pendant tout ce temps, il s'est tu parce qu'il avait peur d'être repoussé, rejeté par les gens. Il n'avait pas tout à fait tort puisque, effectivement, certaines personnes l'ont chassé. Alors, par réflexe, c'est lui qui s'est éloigné du monde. Et seulement à cause de quelques-uns qui se sont montrés incompréhensifs, il a été privé de l'affection et du réconfort des autres.

«Et ça, c'est affreux! Je veux dire que c'est affreux d'être seul. Mais le pire, c'est que moi non plus je n'ai pas su le comprendre. Pas tout de suite! Et je m'en veux. J'aurais voulu être meilleure pour lui. J'aurais voulu le comprendre davantage, l'aider un peu mieux. J'aurais voulu…»

Ce n'est qu'à ce moment, que Sonia réalise qu'elle a un goût de sel sur ses lèvres humides. De grosses larmes débordent librement de ses yeux. Sans retenue, elle avoue:

— Je voudrais tant qu'il vive!

Puis, comme si un système d'alarme venait de se déclencher subitement, elle dévale les trois marches de l'estrade et se précipite hors de la grande salle. Le silence, qui y régnait depuis un bon moment, se brise soudainement. Des exclamations fusent de partout et un courant d'excitation agite les jeunes. Profitant de cette turbulence, Ben se faufile dans le corridor. Il n'a qu'un désir, retrouver Sonia.

Ne la voyant pas dans le couloir, il s'approche de l'escalier et y entend un bruit de pas précipités. Il se penche au-dessus de la rampe et a tout juste le temps d'entrevoir la chevelure de la jeune fille qui disparaît en sautillant. Il se hâte pour la rejoindre, mais elle n'est déjà plus dans l'école. Il fonce vers l'entrée principale qui est tout près de lui. Le bruit d'un klaxon et celui d'un crissement de pneus attirent son attention. À travers la porte vitrée, il aperçoit Sonia qui évite de justesse un accident fatal avec une camionnette rouge. Elle parvient saine et sauve sur le trottoir opposé.

Ben est convaincu qu'elle se dirige vers le parc. Il attend impatiemment que la circulation soit moins dense pour traverser le grand boulevard sans risquer sa vie. La jeune fille s'est enfuie en courant par une petite rue transversale. Il la suit de loin, au pas de course. Elle semble se fatiguer et ralentit un peu. Ben accélère, il n'a pas envie de la perdre de vue. À vrai dire, il n'a pas envie de la perdre tout court.

Il y a déjà un certain temps que Sonia l'attire. Il n'a jamais osé le lui dire de peur de lui déplaire, mais aujourd'hui, c'est plus fort que lui. Elle est triste et a besoin d'aide. Il ne peut pas l'abandonner. Il a l'impression qu'il est le seul qui puisse la consoler, le seul qui parviendra à la faire sourire de nouveau. Elle est si belle quand elle rit. Alors, il court, il court vers elle, en tâchant d'oublier le point dans les côtes qui lui coupe lentement la respiration. Elle est enfin là, marchant à petits pas, à quelques mètres de lui. Encore quelques foulées et il pourra la toucher.

— Sonia! Sonia! appelle-t-il d'une voix essoufflée.

Elle se retourne et le dévisage de ses grands yeux brun sombre. Des larmes semblables à la rosée du matin persistent à s'accrocher à ses longs cils. Ses lèvres se pressent fortement l'une contre l'autre pour les empêcher de trembler. Et Ben se sent idiot, comme jamais dans sa vie.

Comment a-t-il pu imaginer qu'elle lui tomberait dans les bras à la recherche d'une épaule pour la réconforter? Mentalement, il se traite de débile, d'épais, de super-sans-tête. Pour cacher son ridicule, il demande en bafouillant:

— Tu ne t'es pas fait mal? Je veux dire…
avec le camion. J'ai vu que tu as failli te faire
frapper, alors je me demandais si tu n'avais rien.

— Ça va! Je n'ai rien, répond-elle d'une voix
faible en s'essuyant les yeux.

Elle aussi se sent ridicule. Elle a fait une folle
d'elle devant toute la classe. Comment a-t-elle pu
étaler ainsi, devant les autres élèves, l'immense
chagrin qui la torture? Elle relève la tête et
répète:

— Ça va! Pour ça, pas de problème!

— Et pour le reste?

La question est sortie toute seule, sans qu'il
réfléchisse. Ben voudrait bien s'expliquer ce qui le
pousse à poursuivre la conversation, mais il est
tellement confus devant elle. Il perd tous ses
moyens devant la tristesse des autres. Il s'attend à
ce qu'elle lui dise de se mêler de ses affaires, mais
à sa grande surprise elle esquisse un faible sourire
et dit:

— Je vais m'en remettre. Enfin je l'espère.
Tout le monde dit qu'il faut laisser le temps
arranger les choses. Mais c'est long.

— Je comprends!

— Vraiment?

— Eh! Un peu… j'essaie de comprendre,
fait-il d'un air gêné.

Un léger sourire se dessine sur le visage de
Sonia. Un vague éclair de malice apparaît dans ses
yeux. Elle hausse doucement les épaules. Ben
redécouvre celle qui le trouble et le séduit tout à

la fois, celle qui agit comme un aimant sur ses pensées. Étonné pas sa propre audace, il lui propose :

— Le parc n'est plus très loin, on pourrait aller s'y asseoir et jaser un peu. Si ça ne te dérange pas, bien sûr !

Elle hausse de nouveau les épaules avant d'accepter.

— Pourquoi pas ? Je n'ai pas envie de retourner à l'école maintenant.

Ils marchent côte à côte, en évitant soigneusement de se toucher. Ben lui dit qu'il comprend qu'elle se sente malheureuse et n'ait pas envie de le montrer à tout le monde.

— Il y a un peu de cela, c'est vrai, mais je suis surtout gênée. J'ai honte.

— Honte ! s'écrie-t-il. Mais il n'y a aucune raison !

— Là-bas, à l'école, ils doivent se moquer de moi, rire de ce que j'ai fait tantôt.

— Jamais de la vie, Sonia ! S'ils avaient eu envie de rire de toi, ils l'auraient fait pendant que tu parlais. Non, au contraire, je crois qu'ils ont été impressionnés par ce que tu as dit. Par ton courage, aussi. Je n'aurais pas été capable de faire comme toi et oser parler d'un sujet aussi délicat. Il faut du cran, et ce n'est pas tout le monde qui en a. Je t'admire et je ne dois pas être le seul.

Elle se sent rassurée par ces paroles encourageantes. Elle regarde Ben d'un œil nouveau. Il est gentil. C'est tellement important de ne pas se sentir isolée. En entrant dans le parc, elle sait qu'elle y passera le reste de l'après-midi. Qu'elle apprendra des tas de choses sur Ben et qu'elle lui en racontera autant. Elle sait aussi que cela lui fera du bien, beaucoup de bien. Aujourd'hui, Ben est comme un vent de fraîcheur qui lui permet de respirer un peu mieux. Ses côtes qui l'oppressaient à lui faire mal se relâchent lentement. La pression a été forte ces derniers temps, cette amorce de détente la soulage.

14
Adieu

En débarquant de l'autobus, Sonia cherche l'entrée des yeux. C'est un peu plus loin sur sa gauche. Elle glisse sa main dans la poche de sa veste et sent sous ses doigts l'enveloppe de papier. Cela l'encourage dans son entreprise. D'un pas décidé, elle avance vers le cimetière.

Elle n'est venue ici qu'une seule fois, à l'enterrement d'Antoine. Il y a déjà trois mois de cela. Se souviendra-t-elle de l'endroit exact où se trouve sa tombe? Elle l'espère. Elle songe qu'elle aurait peut-être dû revenir avant, mais elle n'était pas prête.

Il lui a fallu trois mois pour accepter. Trois longs mois pendant lesquels elle s'est révoltée, elle a ruminé, jonglé, pleuré, ragé, avant de finalement réaliser qu'elle avait tort de chercher un coupable. Pierre-Luc a raison, ce n'est la faute de personne, pas plus celle d'Antoine que celle de ses parents. C'était un mauvais coup du destin, comme la foudre qui s'abat sur un arbre.

Il lui a fallu trois mois et de l'aide. D'abord, celle de sa mère qui s'est montrée patiente et compréhensive malgré ses minables résultats scolaires de fin d'année. Ensuite, celle de Marco qui a pris une grande décision au cours de l'été. Il désire orienter ses études vers le domaine médical, pour devenir chercheur. Il réussira, Sonia en est certaine. Son frère est un premier de classe et sa motivation est tellement grande.

Il y a même eu Paul Trottier, qui semble par ailleurs tourner autour de Sylvie. Un soir qu'il faisait une chaleur torride et que Sonia prenait un peu d'air sur son balcon, il est allé la rejoindre. Uniquement pour parler avec elle des bons souvenirs d'Antoine, les plus drôles, les plus touchants, les plus tristes. C'est bon de sentir qu'elle n'est pas seule à penser à Antoine.

Elle peut aussi compter sur Pierre-Luc, qui a eu la générosité de raconter sa propre histoire et de lui montrer que la vie vaut d'être vécue quels que soient les obstacles à surmonter. Il est toujours prêt à l'écouter quand elle a le cœur trop lourd.

Et finalement, il y a Ben. Elle le croise souvent dans le quartier. Par hasard? Oui et non… Elle sait qu'en allant au parc avant l'heure du midi, elle augmente ses chances de le rencontrer.

Elle a appris que toutes les après-midi, il donne un coup de main à la quincaillerie de son père. En allant à l'épicerie, elle passe lentement devant la vitrine du magasin pour lui laisser le temps de l'apercevoir de l'intérieur et de la saluer. Généralement, quand il le peut, il court dehors pour lui faire un brin de causette. Entre eux, il n'y a rien de sérieux, Ben n'a jamais osé lui faire des avances, mais cette amitié déride Sonia. Amitié d'autant plus importante qu'avec Caroline ce n'est pas très chaud. Elle est toujours en bons termes avec Caro, mais celle-ci sort un peu trop sérieusement avec Charles! C'est plus que suffisant pour créer un éloignement temporaire entre les deux jeunes filles.

En marchant sur le petit sentier asphalté, Sonia essaie de repérer l'endroit exact. Elle contourne une camionnette stationnée en bordure où sont entassés pelle, pioche, râteau et autres outils. Elle ne prête aucune attention à l'homme qui travaille sur le terrain. Après un court instant d'hésitation à une croisée de chemins, elle décide de tourner à droite. Elle reconnaît vaguement l'endroit, mais il lui faut déchiffrer les inscriptions sur les pierres tombales avant de découvrir enfin la bonne.

Tout est si calme autour d'elle, il n'y a aucune agitation. Même le bruit de la rue lui parvient filtré par la distance qui l'en sépare. Elle, qui craignait de se sentir troublée par la proximité de la mort, a plutôt l'impression d'être dans un grand parc, comme le jardin botanique. Une expression usée lui revient en mémoire: le repos éternel! À regarder la verdure, les fleurs et les grands arbres, elle est portée à y croire.

Sous sa main, le papier se rappelle à elle. Elle ne doit pas oublier la mission qu'elle s'est donnée. Où va-t-elle bien pouvoir déposer sa lettre? Voilà un détail auquel elle n'avait pas songé avant son départ! Indécise, l'enveloppe à la main, elle cherche la meilleure solution. Il lui est impossible de creuser le sol avec ses mains, mais elle pourrait peut-être glisser le papier entre l'herbe qui borde la pierre tombale et celle-ci.

À force de pousser et de triturer, elle réussit à faire disparaître la lettre à moitié dans la terre brune. Elle s'essuie les mains sur le gazon, murmure un faible adieu et retourne à grands pas vers l'arrêt d'autobus.

Du coin de l'œil, le travailleur solitaire, unique témoin de sa visite, l'examine pendant qu'elle s'éloigne. Il hoche la tête et termine sa tâche. Puis, il remonte dans son camion et, lentement, se dirige vers la tombe d'Antoine. Il s'arrête devant. Le nom sur la pierre ne lui dit rien, mais les dates le font réfléchir. Un rapide calcul lui indique que le jeune n'avait que 17 ans. Le papier blanc qui dépasse de l'herbe attire son regard. Par acquit de conscience, il éteint son moteur pour le ramasser.

Le papier offre de la résistance quand il le prend et c'est ainsi qu'il réalise que c'est la jeune fille qui l'a placé là. C'est une lettre adressée au mort. Que doit-il en faire? La remettre à sa place ou la jeter? Le règlement est pourtant clair et strict là-dessus. Aucun déchet ne doit traîner autour des tombes, même l'espace réservé aux fleurs est sévèrement compté.

Pour l'aider à résoudre son épineux problème, il ouvre l'enveloppe et en lit le contenu:

Antoine,

Je sais bien que tu ne peux ni me voir ni m'entendre et surtout pas me lire, mais tu me connais... Il faut absolument que j'écrive. C'est ma façon à moi de réfléchir, de ressentir et de communiquer.

Je tiens absolument à te dire que tu avais raison. Je n'étais qu'un singe. Un singe stupide, frivole et superficiel. Grâce à toi, mes yeux se sont ouverts sur la réalité, mes oreilles entendent la vérité et je n'ai plus peur d'en parler. Tu ne sauras jamais à quel point je t'en suis reconnaissante. Je ne t'oublierai pas.

J'ignore ce qu'il y a de l'autre côté de la mort, mais s'il y a un autre monde, j'espère que tu y es heureux. J'espère que tu ne souffres plus. J'espère que tu t'y feras des amis meilleurs que moi.

Merci pour ton cadeau, mais je ne pense pas m'en servir tout de suite. Alors, je les ai passés à Marco, au lieu

de les laisser sécher dans mon tiroir.
Quand viendra le temps, je serai
prudente, promis!

Je t'embrasse pour une dernière fois,

Sonia

qui n'a plus rien d'un p'tit singe.

L'homme replie la lettre et la glisse dans la
poche de sa vareuse. Puis, il va prendre une pelle
dans le coffre arrière. En deux coups, il arrache
un bon morceau de tourbe. L'enveloppe est rapidement enfouie dans le trou et le gazon est de
nouveau à sa place.

Le sourire aux lèvres, il remonte dans la
camionnette. D'une pierre deux coups! La lettre
a enfin rejoint son destinataire, réalisant ainsi le
souhait de l'adolescente, et il a réussi à faire un
pied de nez aux règlements trop tatillons du
cimetière. C'est une journée qu'il gardera longtemps en mémoire!

Table des matières

TESTEZ VOS CONNAISSANCES

Saviez-vous que... 40 millions de personnes sont atteintes du VIH dans le monde?

Saviez-vous que... depuis 25 ans, 25 millions de personnes sont mortes du sida? Soit près de 2 740 personnes chaque jour ou 2 personnes à la minute.

Saviez-vous que... 1 Canadien sur 4 qui est atteint du VIH l'ignore?

Saviez-vous que... au Canada, on compte plus de 58 000 personnes séropositives?

Saviez-vous que... au Québec, 20 000 personnes sont séropositives?

Saviez-vous que... sur la planète, 2 300 000 enfants sont contaminés par le VIH?

Saviez-vous que... toutes les 6 secondes, 1 personne est infectée par le VIH?

Saviez-vous que... 1 personne séropositive sur 3 a des relations sexuelles non protégées?

Saviez-vous que... chaque année, il naît 20 enfants séropositifs au Canada?

Saviez-vous que... malgré les recherches et les progrès de la médecine, le sida reste incurable?

Saviez-vous que... aujourd'hui, malgré les efforts des médecins, le sida tue encore?

Saviez-vous que... quelques mesures de prévention simples permettraient d'éviter la contagion?

POUR EN SAVOIR UN PEU PLUS

Le VIH se transmet par :
- les relations sexuelles non protégées ;
- le partage de seringues ou de matériel d'injection de drogue ;
- l'utilisation de seringues non stérilisées pour le tatouage, le perçage corporel ou l'acupuncture ;
- la grossesse, l'accouchement et l'allaitement maternel (d'une mère infectée à son bébé).

Prévenir vaut mieux que... mourir !

POUR EN SAVOIR ENCORE PLUS

VIH : virus de l'immunodéficience humaine

Ce virus infecte les cellules du système immunitaire et fabrique des copies de lui-même pour mieux se propager. Infiltré et attaqué directement, le système immunitaire ne peut plus jouer son rôle, qui est de défendre l'organisme contre les virus et les bactéries.

SÉROPOSITIF : Durant les trois premiers mois qui suivent le moment de l'infection, le corps fabrique des anticorps contre le VIH. Lorsqu'on trouve ces anticorps dans le sang d'une personne, on dit qu'elle est séropositive.

SIDA : syndrome d'immunodéficience acquise

Quand une personne est atteinte du sida :
- elle a une infection au VIH confirmée par un test sanguin ;

- le nombre des cellules non infectées de son système immunitaire est inférieur à 200 par millimètre cube;
- et elle a une ou plusieurs infections ou maladies reliées au sida (pneumonie, sarcome de Kaposi, tuberculose, etc.).

POUR EN SAVOIR BEAUCOUP PLUS

Voici quelques sites Internet où on peut obtenir de l'information et de l'aide, si nécessaire :

Vie positive – Réseau canadien d'info-traitements sida
http://www.viepositive.ca

COCQ-Sida (Coalition des organismes communautaires québécois de lutte contre le sida)
http://www.cocqsida.com

Réseau canadien d'info-traitements sida
http://www.catie.ca

Société canadienne du sida
http://www.cdnaids.ca

Questionnaire

Maintenant que vous avez terminé la lecture de ce livre, vous avez certainement des impressions à son sujet. Alors, nous vous cédons la plume. Dites-nous ce que vous en pensez en répondant à ce petit questionnaire.

1. Aimez-vous l'idée d'une collection où tous les personnages vivent dans le même quartier?

2. Quels sont les personnages qui vous ont plu davantage?

3. Quels personnages aimeriez-vous retrouver dans un prochain livre?

4. Y a-t-il des thèmes que vous aimeriez voir les auteurs aborder? Lesquels?

5. Où imaginez-vous le Faubourg St-Rock?

6. Avez-vous d'autres commentaires à formuler?

Envoyez vos réponses à l'une ou l'autre des adresses suivantes:

info@edtisseyre.ca
susannej@moncanoe.com

Éditions Pierre Tisseyre
Collection Faubourg St-Rock
a/s Susanne Julien
9300, boul. Henri-Bourassa Ouest, bureau 220
Saint-Laurent (Québec)
H4S 1L5

COLLECTION FAUBOURG ST-ROCK+
directrice : Marie-Andrée Clermont

1. **L'engrenage,** de Marie-Andrée Clermont, 2007.
2. **L'envers de la vie,** de Susanne Julien, 2007.
3. **Symphonie rock'n'roll,** de Vincent Lauzon, 2007.
4. **Le cœur à l'envers,** de Susanne Julien, 2007.
5. **Roche de St-Cœur,** de Marie-Andrée Clermont, 2007.
6. **La rumeur,** de Danièle Desrosiers, 2007.
7. **Double foyer,** de Marie-Andrée Clermont, 2007.
8. **La faim du monde,** de Robert Soulières, 2007.

Note : Les ouvrages listés ci-dessus dans la collection
Faubourg St-Rock+ sont des versions réactualisées
des romans portant les mêmes titres parus
de 1991 à 1994.

PLAN DU
FAUBOURG
ST-ROCK